コロナと5G

世界を壊す新型ウイルスと次世代通信

Funase Syunsuke
船瀬俊介

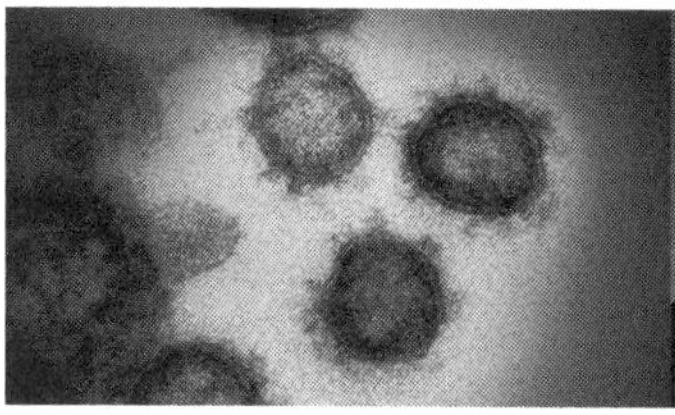

共栄書房

コロナと5G——世界を壊す新型ウイルスと次世代通信◆目次

プロローグ　コロナと5G、その裏にあるもの

日本は、すでに芯まで腐っている

●都知事選四八％の怪

本書のテーマであるコロナウイルスと5Gの話を始めるまえに――。
まずはこのことを知っておいてください。
日本は、すでに壊れています。芯が腐っているのです。
連日の安倍内閣の醜聞に、あなたは、ただ呆れ果てていることでしょう。
よく、こんな政権が生まれたものだ。
よく、こんな政権がもっているものだ。
国民はもはや、言葉を失って、ただ呆然としています。
日本はどうして、ここまで腐り果てたのでしょう？
あたりまえです。まともに選挙が行われていないのですから。
こう言うと、ほとんどのひとがキョトンとします。

はっきり言います。選挙の投票箱は、ゴミ箱なのです。

あなたの票は、まったく集計されていません。〝燃えるゴミ〟として処分されています。

具体的な証拠をあげます。

例えば、東京都知事選挙です。猪瀬知事が退陣に追い込まれた時のことです。

新しい知事を選ぶ都知事選挙が行われ、舛添要一氏も立候補しています。

そして、開票が行われ、〝本命〟とされた舛添知事が誕生したのです。

その選挙結果は公式発表されています。

ところが、舛添氏の得票数をチェックすると、驚愕事実が判明します。

なんと、二三区を含むすべての選挙区で、舛添氏の得票数は、前回の猪瀬知事の得票数の、ピタリ四八％だった！――。

●投票用紙はゴミ箱へ！

この事実に気づいた評論家の孫崎享氏は、絶句……。

「こんなことは、絶対に起こり得ない」

そのとおり。このとき、確実に〝闇の選管〟が存在していた。

すでに、本命の舛添を知事にすることは決まっていた。しかし、あまり票が多すぎるのは不自然。そこで、前回、猪瀬の獲得票の四八％にすることに決めた。選挙結果の集計コンピュータに、「四八％」と入力。一瞬にして全選挙区で、舛添の得票数は前回の四八％でピタリそろった！

では――。じっさいに投票した有権者の票は、どうなったのか？

いっさい集計されず、ゴミ箱（投票箱）から、〝燃えるゴミ〟へ――。

主権者の投票そのものが、ブラックコメディだった……。

しかし、〝闇の選管〟は、うっかりミスを犯した。

操作した不正数値を公式発表してしまったのだ！

孫崎氏は、うめくように言う。

「このクニは、そうとう壊れています。不正は、石原都知事の時代から行われていたようです」

選挙はペテン、世論調査はでっちあげ

●「日本未来の党」の悲劇

国政選挙も、まったく同じ。あなたの投票用紙は、いっさい集計されずゴミ箱行きだ。

二〇一二年、「反原発」「反消費税」を掲げて、「日本未来の党」が結成された。

国民の期待は募り、同党サイトへのアクセスは四〇〇〇万件を突破。それだけ多くの国民が、同党に熱い期待を寄せた。

さて、衆院選挙が行われ、ロイター通信による出口調査（二四五五名対象）結果は、驚きの結果を示す。「どの党に入れたか？」との質問に「自民党」九％に対し、「未来の党」は七二％……！　八倍の圧倒的大差だ。

このとき、ほんらいなら「未来の党」に政権交代していた……はずだった。

フタを開けてみたら、「未来」の八分の一しか得票してないはずの「自民」が大躍進……。

単独過半数を上回る圧勝で、選挙前の二倍超の二九四議席を獲得した。

逆に、自民の八倍も得票した（はずの）「未来」は、六一議席のうち五二人が落選……。

ロイターの出口調査で自民の八倍得票していた「未来」が……ありえない。

このミステリーもすぐに解ける。「自民大勝は、初めから決まっていた」。

都知事選と同じだ。投票に行った選挙民は、まるでピエロである。

●談合の内閣支持率

「安倍内閣の支持率、いまだ高止まり」と公表されるマスコミ「世論調査」の安倍内閣支持率も、ねつ造されています。

その〝結果〟は「毎日」五一％、「朝日」四九％、「ＮＨＫ」四七％、「フジテレビ」四六％……各社、不思議に横ならび。

ところが、律義に調査している地方紙は「埼玉新聞」一六％、「日本農業新聞」七％。地方紙以外でも「越谷市街頭調査」一二％……。「安保法案」も「岩手日報」賛成一％、反対九八％。なのに、「産経」賛成七一％、「日本テレビ」賛成五六％……。もう、おわかりだろう。大手マスコミの「世論調査」は、ねつ造されている。各社、密かに〝談合〟で決めているのだ。正しいのは地方紙の世論調査である。

なぜ、こんなことになってしまったのか――。

このクニを腐敗させ、支配してきた、〝闇の勢力〟が存在するのだ。

コロナも5Gも、支配と腐敗から始まる

●日本を〝闇支配〟するもの

――腐敗させて支配する――これが〝支配〟の要諦だ。

日本を明治維新以来〝闇支配〟してきた連中がいる。

それが、国際秘密結社フリーメイソンである（拙著『維新の悪人たち』共栄書房、参照）。

第二次大戦、敗戦後の日本もそうだ。

〝かれら〟はこれまで、選挙の投票「集計」を操《あやつ》り、日本の選挙を自在にコントロールしてきた。日本中の選挙結果は、〝やつら〟に自由自在にいじられてきたのだ。

このようにして、〝闇の勢力〟は、日本を芯から腐敗させて、裏から支配してきた。

――**すべては、支配と腐敗から始まる**――

不正選挙も、そしてコロナも、5Gも……ルーツは同じ闇支配である。

〝支配〟は外部から忍び込み、〝腐敗〟は内部から生じる。

●数千年もの〝闇支配〟

地球は、人類は、遥か悠久の時を超えて、見えざる〝闇の勢力〟に支配されてきた。

〝闇の支配者〟の名称はフリーメイソン。その組織は、三三位階ものピラミッド構造をなす。

ピラミッド上層はさらに、イルミナティと呼ばれる秘密結社が独占している。

この二層構造のピラミッドこそ、〝闇の支配者〟の正体である。

最上層の支配階級は、超富裕ファミリーである一三氏族で構成される。

なかでも、ロスチャイルド家とロックフェラー家が、権力を掌握してきた。

その累々たる血脈は、数千年もの長きにわたり連綿と連なっている。

〝かれら〟の名称は、一つではない。幾つもの名前、幾つもの顔を持ち、歴史の影に身を潜め、辛抱強く、脈々と、狡猾に、あらゆる人々を欺き、操ってきたのだ。

それは、二一世紀の現代においても……変わらない。

地球を、人類を、完全支配する――その底深い願望を、〝かれら〟は心の奥底に潜めてきた。

〝かれら〟がめざす未来図こそ、NWO（ニュー・ワールド・オーダー：新世界秩序）だ。

●ゴイム（獣）、シープ（家畜）、サル

〝かれら〟は、自分達以外の人類を、「ゴイム」（獣）と呼んできた。つまり、人間ではない。

そして「獣」のうち従順に従う者を「シープ」（家畜）と呼んだ。

ちなみに、東洋人は「モンキー」（猿）である。

日本人を、〝かれら〟は心の中で「イエロー・モンキー」（黄色い猿）と呼んで、蔑んだ。

〝かれら〟の目には、日本人は、服を着たサルにしか見えない。

空襲で一晩で一〇万人焼き殺そうが、原爆で一瞬で数万人を即死させようが、かまったことではない。相手は、有象無象《うぞうむぞう》の黄色いサルなのだ……。

〝かれら〟は現代の地球を見て、不機嫌になっている。舌打ちして首をふる。

なんとも、「ゴイム」が増え過ぎた。「サル」も「ヒツジ」もそうだ。

次から次に子をつくる。とにかく、こいつらの繁殖を止めねばならない。

「ゴイム」（獣）が子を産めないようにする。それはかんたんだ。

エサ（食糧）に〝毒〟を混ぜればいい。

飲み水に、住まいに、空気に、潜ませろ。空からも撒け……。

病気が治ると騙して、毒（薬）漬けにしろ。

病気が治ると騙して、屠場（病院）に収容しろ。

もっとも効率のいい〝間引き〟は「戦争」だ。

お国のためと騙して、武器を取らせろ。

お国のためと騙して、殺し合いさせろ。

戦費も兵器も、敵味方双方にたっぷりと貸し付け、売り付けてやれ。

あとは、勝手に「ゴイム」たちが殺し合う。血で血を洗う殺戮《さつりく》と憎悪《ぞうお》。

やはり、こいつらはただの獣だ。面白いように操《あやつ》れる。

●コロナと5G、目的は同じ

……すべては、支配と腐敗から始まっている。

コロナも、５Ｇも、そうだ。

物事には、表があれば裏がある。表層があれば深層がある。

表だけ見て判ったと得心するのは、愚かである。

表層はいくら子細に見ても表層である。一枚の紙にも表裏がある。

歴史にはさらに、奥の奥がある。

わたしの私淑する歴史家でありジャーナリストのユースタス・マリンズ氏は、こう語る。

「……ジャーナリズムは、考古学と似ている。権力者は真実を地下深くに隠蔽する。それを、掘って、掘って、地表に現わし、太陽の下にさらすのだ」

しかし、現代社会では、隠されている物を掘り起こし、指摘すると、〝陰謀論者〟のレッテルをはられる。冷ややかな目で見られる。

不思議で異様な世の中だ。

「『陰謀論』は真実である……」(五木寛之)

●それは差別用語である

わたしと同じ郷里、福岡出身で、作家として大成された五木寛之氏は、こう述べている。

「……陰謀論というのは、もっぱら批判の言葉として使われるばあいが多いようだ。『あれは陰謀論だ』というときの感覚には、安っぽい、学問的ではない、為にする情報操作である、などという蔑視の姿勢があるといっていい。『あの男は陰謀論者だ』『あの説は陰謀論だ』と、レッテルをはってしまえば、ほとんど反論したり、批判したりする必要さえない雰囲気がある」

彼はここで、はっきり言い切る。

「……ざっくばらんに言ってしまえば、『陰謀論』というのは、差別用語である。人は自己中心的で、愚かしい動物である。近代人が、どれほど残酷でありうるかは、アウシュヴィッツをひきあいに出すまでもない。二〇世紀にくり返された人間破壊、民族破壊をいちいち挙げていけば、百指をもってしても、足りないだろう。『陰謀論』には根拠があるといっていい。アメリカは戦争で成り立っている国である。それも自国内ではなく、外国を舞台に行われる戦争でなくてはならない。そこで〝陰謀〟の出番である。戦争には陰謀がつきものだ。欺し打ちで勝つのが一番効率がいい。テロは陰謀そのものであり、対テロ戦略は、さらにそれに輪をかけた陰謀作戦である」

●報道は真実とちがう

……そうして、作家は、目前の真実情報を〝陰謀論〟とヤユして耳をふさぐ輩を、バッサリ斬って捨てる。

「表通りの戦争論、カマトトぶった現代史は、そろそろ願い下げにしてもらいたいものだ。……ひょっとしたら、私たちは、何か大きく騙されているのではないか。体制も、反体制も、ひっくるめて、報道されている事は、事実とはちがうのではないか。そう思う人が少しずつ、増えているような気がしてならない」（『流されゆく日々』「日刊ゲンダイ」2017年4月11日より）

――あなたも、めざめるときです。

第一部

新型コロナ、狙いは世界の金融大破壊だ！

——アメリカ借金踏み倒し、ある日、預金消滅の悪夢？

第1章　ドキュメント、新型コロナウイルス
――なぜ？　何のために？　いつまで？……

前年、欧米で感染者！　くつがえる中国起源説

●トランプの口撃、中国の反論

新型コロナウイルス……最初の「ゼロ号患者」はだれだ？

それは、どこで、いつ、出現したのか？

発生源をめぐって、世界中で議論が白熱している。中国が最初の症例を報告したのが二〇一九年一二月八日。中国・武漢市当局が、コロナウイルス感染患者を確認している。

だから、トランプ大統領は「新型コロナウイルスは、中国で生まれた」と中国攻撃をくり返してきた。それは、来る二〇二〇年一一月の大統領選挙で、自らの立場を有利にしたいという思惑が働いたのだろう。

二〇二〇年五月六日には、発言もエスカレート。

「……われわれは、史上最悪の攻撃を受けた。真珠湾や世界貿易センターよりもひどい攻撃だ。コロナウイルスは、発生源の中国で止めるべきだった」

まさに敵意むきだしだ。

だがこれは、ヤブヘビだったようだ。この〝口撃〟に、中国側も黙ってはいない。

中国の新聞『環球時報』（五月六日付）一面トップにトランプ大統領の写真。

そこには反撃の見出しが躍る。

「アメリカで先にコロナ感染患者が出ている」

「中国が発生源！」と主張する大統領へ、真っ向から反論している。

記事によると二〇一九年一一月、すでにアメリカ国内で市長がコロナウイルスに感染している、という。中国メディアは一斉に報じている。

「欧米では、それ以前か、同時期に感染拡大した可能性がある」

●二〇一九年一一月、米国内で市長が感染

五月五日に放送された中国中央テレビも、次のように伝えた。

「アメリカメディアによると、『ニュージャージー州ベルビル市の市長が去年一一月にコロナウイルスに感染していた』と明らかにしました」

それによると昨年一一月、インフルエンザと診断された市長が、新型コロナの抗体を持って

いたことが判明。つまり、この時にはすでに、アメリカ国内に新型コロナウイルスは存在していた可能性もある。

そして感染者まで出ていた。

中国が発生源とする大統領の主張は、完全に覆された？

さらに、二〇一九年一二月末、肺炎で入院したフランス人男性（四二歳）も、改めて抗体検査の結果は「陽性」。つまり、昨年末時点で、フランス国内にコロナウイルスが存在していたかもしれない。

「……フランスでは、すでに今年の一月には、多くの無症状の患者がいた。この時点で感染が拡大したと推測できる」（中国中央テレビ）

「……アメリカでの最初の感染者は（去年）一〇月か一一月で、カナダやフランスでも一二月に感染者がいた、との報道があります。アメリカは中国が発生源だとする証拠を示していない。なぜなら、証拠など何もないからです」

中国外務省、華春瑩報道局長は、余裕の表情だ。

■ウイルス発生源をめぐって米中激突

6日
中国外務省
華春瑩報道局長
アメリカは中国が発生源だとする
証拠を示していない

写真 1-1　中国外務省、華春瑩報道局長

●コロナを制圧！　記念切手も

「中国がコロナ感染源という根拠はない」

中国の市民たちも、これら報道に自信を深めた。さっそく「欧米のコロナウイルスは、中国から広まったものではない」とSNSの拡散に弾みがついている。

さらに、コロナを封じ込めた自信は、マスクにゴーグル姿の医師、右手はガッツポーズという「記念切手」にもこめられている。

中国発生源説を覆され、トランプ大統領は一本取られた格好となった。

■「コロナに勝った！」中国勝利宣言

写真 1-2　新型コロナ克服の記念切手

さらに追い討ちがかかる。

わがままトランプは、「マスクは嫌いだ」とのことで、公式の場でもマスクは一切着用してこなかった。

マスク工場を視察したときの映像も、マスクを着けていない。このゴーイング・マイ・ウェイが、記者から突っ込まれた。

——工場内ではマスク着用が義務付けられている。なのに、なぜ着けなかったのか？

「……マスクは持っていたんだ。いや着けた。……そう、しばらく着けていたんだ！」

――どのくらい着けていたのか？

「それほど長くはなかった……。裏庭で、まわりがいらないというんだ」

いやはや……暴走癖は、まだまだ止まらない？

ヘビ、コウモリ……動物感染説も否定された

●中国武漢市、四一人発症

トランプ大統領は、当初から新型コロナを〝チャイナ・ウイルス〟と呼んでいた。

中国に責任をなすりつける意図が見え見えだ。

なるほど、新型コロナウイルス騒動の、当初の発端は武漢だった。

二〇一九年一二月、中国・湖北省の武漢市で、四一人の原因不明の肺炎患者が確認された。

その後の分析で新型コロナウイルスと判明。患者のうち三分の二が、華南の生鮮市場で感染した疑いが強まった。

市場では魚介類や野生生物、さらにヘビや鳥など数種類の動物の肉類なども販売していた。

そこから「動物から感染した！」と、研究者たちは色めき立った。

こうして動物原因説が浮上した。

市場では、中国独自の食文化もあり、センザンコウも売られていた。センザンコウはウロコのある哺乳類で、絶滅が危惧されている希少動物。市場では漢方薬原料として売られていた。一部では、コウモリを宿主としていたウイルスがセンザンコウを経て、食べた中国人に感染した……という仮説も注目された。

それ以来、世界中の研究者たちは、コロナウイルスの正体追求に没頭している。

ちなみに、WHO（世界保健機関）は、このウイルス感染症に「COVID－19」なる名称を冠した。しかし、覚えにくく、新型コロナウイルスが通称となっている。

二〇二〇年一月、中国当局は、患者から採取した検体を分析し、同ウイルスの遺伝子ゲノム配列情報を公開。これで、ウイルスの全体像が明らかになってきた。

それによれば新型コロナウイルスは、二〇〇三年にSARS（サーズ）の大流行を巻き起こしたSARSコロナウイルス（SARS－CoV）と、同じグループに属することが判った。

発生源国に巨額賠償金を請求とは……⁉

●初発例「ゼロ号患者」を探せ！

最初の患者たちの三分の二が華南市場で感染したと見られた。

だから、研究者たちは、そこで取引されている野生動物などからの感染を疑った。

しかし、報告された第一号患者は二〇一九年一二月一日に症状が出始めたが、市場とも、他の患者とも、まったく関連はなかった。

研究者たちが探し求めているのは、一号患者でなく「ゼロ号患者」である。

「ゼロ号患者」の感染源が何か？　それこそが、真の感染源となる。

このウイルスの最初の呼称は〝武漢ウイルス〟だった。それだけに、この地が発生源だという思い込みがあった。しかし、欧米で前年一〇～一一月の段階で、すでに同型ウイルスの感染例の報告が相次いだ。中国原因説は、根底から見直されようとしている。

では、前年一一月に発症した米ベルビル市長が「ゼロ号患者」か？

この「ゼロ号患者」探しには、政治的な思惑が付きまとう。

なぜなら、欧米各国は、新型コロナウイルスを世界に広めた責任で、中国に巨額の損害賠償を請求する手筈を進めていた。そんなおり、「ゼロ号患者」が自国にいた……となれば、事態は逆転する。逆に中国から損害賠償を請求されかねない。

武漢ロックダウン！　反省と教訓

●四月八日解除、勝利宣言

新型コロナウイルスは、全世界を未曾有《みぞう》のパニックに陥《おとしい》れた。

そこで明らかになったのが、国ごとの危機管理体制の差である。

有事に人の真価がわかる、という。国家も同じだ。

政治家の人品骨柄、行政手腕……それがこれほど試されたことはない。

新型コロナウイルス震源地として最初にパンデミックに襲われた中国は、四月に「ウイルスを封じ込めた」と勝利宣言。四月八日、武漢市は二か月半ぶりに都市封鎖を解除。人々が街にあふれた。新幹線も運行を開始、漢口駅にも多くの人々が詰め掛けた。

ロイター通信は、この「武漢の勝利」を現地リポートしている。市当局者、住民、科学者など数十人にインタビュー。そこから、コロナ対策の教訓が浮き彫りにされてくる。

●武漢封じ込め、中国の戦い

以下――（四月一〇日配信）。

……武漢市でこのウイルスの明らかな最初の死者が出たのは、一月初めのことだった。

一月の最初の二週間、市当局は「（情勢は）コントロール下に置かれている」と強調。人から人への感染の可能性を軽視していた。彼らの関心はむしろ、感染源と疑われる海産物や野生動物を売買する市場へと向けられていた。

だがその後、不穏な兆しが現れ始める。

武漢の住民六人がロイターに語った。一月一二日頃には、病院の呼吸器科病棟が受け入れ許容量の限界に達し始め、一部の患者が受診や入院を断られるようになっていた。

しかし、少なくとも一月一六日までは、武漢市政府は「新たな患者は二週間ほど発生していない」と説明。市内は、いつもと変わらぬ様子だった。

レストランは来店者で賑わい、商業地区には買い物客が行き交い、旅行客は春節（旧正月）の休暇に向けて鉄道の駅や空港へと向かっていた。

「私たち一般市民には、感染防止策をとる必要があることは知らされていなかった」

一月三一日、叔父をコロナウイルスで亡くしたワン・ウェンジュンさんは、語る。

その空気は、一月一八日を境に変化する。

北京の中央政府から派遣されてきた専門家チームが、武漢に到着したのだ。

専門家チームの調査、中央政府の英断

●市役人たちの怠慢、隠蔽

北京政府から派遣された専門家チームを率いるのは、鍾南山博士（疫学者）。

八三歳という年齢を感じさせない。

鍾博士は二〇〇三年のSARS流行時、感染拡大に中国国内で真っ先に警鐘を鳴らした硬骨漢として知られる。チームは二日間にわたって、市内で感染源と感染規模の調査を徹底した。そして、科学者たちの表情は次第に暗くなっていった。

チーム到着前日にも、新たな四人の患者が確認された。

しかし、いずれも生鮮市場との関連はなかった。感染源は、市場の野生動物ではない……。

「……こうして、人から人への感染を否定してきた地元政府の主張に疑問が生じた。ならば、市内で思い切った〝封じ込め〟政策断行の必要が出てくる」（ロイター通信）

すでに一月一二日、武漢を訪れた科学者は、地元政府が、感染症〝封じ込め〟に苦戦している事実を隠蔽《いんぺい》していた、と証言する。

官僚主義とは隠蔽主義である。役人は、自己のマイナスになることは本能的に隠す。

一月一八日、調査チームは、地元政府が隠してきた事実をいくつも発見した。

それは「十数名の医療従事者の感染」「濃厚接触者の追跡の怠慢」さらに、一月一六日以前には「病院での検査はゼロだった！」

●もっと迅速な情報公開を

チームは決断した。

①武漢市の全面封鎖（ロックダウン）、②病院収容能力の急速拡大、③経済より人命重視に

シフト。これら提案を受け、中央政府が動いた。

一月二〇日、中央政府は武漢市に「特別対策本部」を設置、全権を委ねた。

地元民は証言する。

「……武漢市政府の対応は、遅きに失した。もし市政府が通達を出していたら、すべての人々にマスク着用を呼びかけていたら、死者の数はもっと少なくてすんだだろう」

「多くの血と涙が流された。痛みをともなう教訓だ」

その後、感染者の追跡調査で、感染確認された人がロックダウン実施前に中国全土に移動していたことが判明。その行先は少なくとも二五の省に及ぶ。

一月二三日午前二時、ロックダウン発令――。武漢市内外を結ぶ交通手段は即時、すべて遮断。自家用車の使用も禁止。その後まもなく、住民の外出も禁じられた。

「……この危機で統制を把握した中央政府は、同時に武漢市・湖北省の政府要人を数多く更迭した」（ロイター通信）

周武漢市長は、率直に認める。

「……もっと迅速に情報公開すべきだった」

「公開許可を取るにことにかまけ、スピードが鈍った」

「米軍がウイルスを持ち込んだ」（中国外務省報道官）

●習近平の観測気球か？

中国調査チームにより、動物感染説は否定された。

さらに、二〇一九年一一月アメリカ国内で、一二月フランスでも感染者が発生している。

中国起源説にも疑問符が付いた。

「コロナは中国から広まった」というトランプの毒舌も頓挫した。

これに対して、〝口撃〟を受けた中国の習近平は「新型コロナのルーツを解明せよ」と部下に厳命している。

そして――。事態が動いた。

「ウイルスは、米軍が武漢に持ち込んだ可能性がある」

三月一二日、なんとも衝撃的な告発が、中国側から発信された。

発信者は中国外務省の趙立堅・副報道局長。自身のツイッターから中国語と英語で発信した。

これに対しトランプ大統領は、「中国政府の考えは違うだろう」と報道陣の質問をいなした。

さらに、ポンペオ国務長官は、「今は偽情報やくだらない噂を流布するときではない。あらゆる国が共通の脅威に連携して立ち向かうときだ」と反発。

それも道理である。「イエス」と認めたら大変なことになる。

アメリカが中国に生物兵器で軍事攻撃を仕掛けたことを認めることになる。

それは宣戦布告と同等だ。第三次世界大戦のひきがねにもなりかねない。

そして、中国政府側は、趙報道官の個人的見解……と静観のかまえだ。

●懲罰受けず反省もなし

わたしはこう見る。中国は共産党独裁国家だ。その外務省のナンバー2の報道局長が、個人の見解で、このような重大発表を行うことなど許されるはずがない。

つまり……これは、習近平政権の〝観測気球〟ではないか。

「われわれは、すべての情報を掌握している」という暗黙のメッセージと見る。

趙副報道局長の個人プレーの暴走だったら、即懲戒解雇が当然だ。しかし、こんな重大発信を行った彼は職にとどまったまま。何のおとがめもなく、なんら懲罰も受けていない。

それは、習近平の密命で行ったからではないか……。

三月二三日、崔天凱・駐米大使は、米国メディアに趙氏の〝米軍犯人説〟について取材を受け、「狂った言説だ」と否定してみせた。

さらに趙発言に関して聞かれると「彼に直接聞いた方がいいだろう」と距離をおいた。

当の趙副報道局長は三月一三日、何事もなかったかのように定例会見に臨んでいる。

自身が発信した「米軍犯人説」について、「アメリカへのお返しだ」と平然と答えた。「アメリカの政治家が、中国に汚名を着せたからだ。多くの中国人が、顔に泥を塗られたと怒っている」

これは、トランプ大統領が「チャイナ・ウイルス」と言ったことなどを指す。そして、謝罪はいっさいなし。米軍がウイルスを持ち込んだ、という根拠にも触れずに降壇した。たいした度胸である。これは、背後に習近平がいる自信の表れではないか。

〝逆デマ〟――自分がやったのに「アイツだ！」

●闇勢力お得意の「偽旗攻撃」

中国の堂に入ったかまえに対し、アメリカはどうか。

〝闇の勢力〟イルミナティのお得意芸が「偽旗攻撃《にせはた》」である。

自分で自分を攻撃して、「あいつがやった！」とでっちあげるのだ。

その最大規模が、9・11同時多発テロだろう。卑劣極まりない手口だ。

マスメディアを完全支配している〝やつら〟にとって、大衆操作は自由自在だ。

この「偽旗作戦」は、敵にスパイを送り込んでやらせることで、よりリアルになる。

太平洋戦争の火蓋となった日本軍による真珠湾攻撃などは、その典型例だ。

打ち合わせどおり、日本海軍に真珠湾を〝奇襲〟攻撃させる。

待ち構えていたカメラマンに映像を撮影させ、全世界の映画館で上映させた。

「ジャップの卑怯な騙し討ちを許すな！」「リメンバー・パールハーバー！」

米国内で戦時国債は飛ぶように売れ、若者達はわれ先にと軍隊に志願し、地獄の戦場へ喜々として赴《おもむ》いた。大衆洗脳は実にチョロいものである。

イルミナティは、中国叩きのコロナウイルス攻撃と並行して、この「偽旗攻撃」も忘れてはいなかった。

それが「武漢のウイルス研究所から漏洩した」……というデッチアゲである。

そこで、支配下にある世界中のメディアも動員された。

●ドイツ有名週刊誌までも

メディアは、アメリカ国内にとどまらない。

写真1－3は、ドイツの有名週刊誌『デア・シュピーゲル』の表紙だ。

これは白黒だが実際は、表紙の男は真っ赤な防護服を着た東洋人。スマホを手にしている。

つまり、コロナウイルスから身を守っている中国人。そして表紙には「コロナウイルス　メイド・イン・チャイナ」の大文字。つまり、この伝染病は「中国が発生源」と断定している。

「……発行部数が多く、それなりに知識人の支持を得ているはずのメディアが、証拠もなし

■コロナは中国が発生源？悪質なデマ

写真 1-3

にこんなことを書く悪質さ、異常さに、背筋が凍ります。だって、この記事は、コロナウイルスは『中国製造による生物兵器』だと断言しているわけですからね」（ブログ「WONDERFUL WORLD」）

これは、ドイツだけにとどまらない。

フランスでもイギリスでも、同様の中国叩き記事が激化している。

これらの国々は、イルミナティに完全制圧されている。

だから、メディアもしかり。

それは、わが日本でも同じことだ。

第2章　エイズからコロナまで「生物兵器」は当たりまえ
――テレビ、新聞は絶対言えない、書けない

「言ってはいけない」絶対タブー

●エイズ、SARSと同じ生物兵器だ！

「……これは、生物兵器だ！」

新型コロナ第一報を聞いた瞬間、直感した。

なぜなら、わたしは、すでに『超インフルエンザ』（三一新書）、『SARS　キラーウイルスの恐怖』（双葉社）、『ワクチンの罠』（イースト・プレス）といった本を書いてきたからだ。

これら著作で、エイズをはじめとする数多くの生物兵器の存在について、告発してきた。

しかし、〝闇の勢力〟イルミナティが支配してきた学問や報道では、「生物兵器」という用語自体が絶対タブーである。

口にした瞬間、書いた瞬間に学界から追放され、メディアから排除される。

よく「学問の独立」という。「報道の自由」という。

そんなものは、じっさいには存在しない。なぜなら「学問」（アカデミズム）も「報道」（ジャーナリズム）も、〝やつら〟が裏側から支配しているからだ。

むろん、それでも現場で果敢に戦っている学者やジャーナリストがいることも確かだ。

しかし、新型コロナウイルス騒動でも、「生物兵器」という単語を口にしただけで、現場から排除されてしまう。「まさか！　暗黒の中世であるまいし……」。

しかし現実は、陰謀論者のレッテルを貼られて永久追放されるのだ。

「……ネットで『コロナ＝人工ウイルス』という記事が出ても、すぐ削除です」

M氏は溜め息まじりで嘆く。彼は、独自に新型コロナ問題を追っている中国研究家だ。

インターネットは開かれたメディアだと思ったら、大まちがいだ。

「人工ウイルス」という単語がアウトなら、「生物兵器」など即削除だ。

いま〝闇の勢力〟は、インターネット情報に神経質になっている。

そこには、まったくフリーハンドの情報が飛び交っているからだ。

だから、〝不都合な真実〟は、ネット上に見つけ次第「削除」でつぶしていく。

あらためて、〝闇の支配者〟イルミナティの支配の恐ろしさと貫徹ぶりは寒心にたえない。

●どの国も研究している

さて――。マスコミで絶対タブーである……ということは、絶対真実の裏返しだ。

そもそも古代ギリシャ以来、戦争に生物兵器はつき物だ。

「ウィキペディア」で「生物兵器」と検索してみるといい。正直に学術的に解説されている。

「……細菌やウイルス、あるいはそれらが作り出す毒素などを使用し、人や動物に対して使われる兵器のこと。生物兵器を使用した戦闘を生物戦という」（要約）

さらに、こう付言する。

「……ひそかに各国で生物兵器の開発が行われていたことがあり、現在でもその可能性は高い」

そのとおり。表向きは「生物兵器に対する防御法の研究」という建て前だ。だから、「生物兵器を研究してない国はない」と断言できる。当然、日本でもひそかに研究されている。

それは、化学兵器も同じ。

いずれも国際法（ジュネーブ条約）で禁止されている（ことになっている！）。

「国際法で禁止されているからありえない」というのは、カマトトとしかいいようがない。

エイズは最初の遺伝子組替え生物兵器

●『悪魔の遺伝子操作』

一九六〇年代、生物兵器開発者にとって朗報が飛び込んできた。遺伝子組替え技術の完成である。それは、微生物兵器を格段にパワーアップさせることができる。

そうして開発された第一号がエイズ・ウイルス（ＨＩＶ）である。

エイズは、米軍が最初に開発成功した遺伝子組替え生物兵器なのだ。

わたしはそれを二〇〇〇年、『超インフルエンザ』（三一新書）で指摘した。

「エイズは人工ウイルスの生物兵器である」

勇気ある告発を行った研究者がいる。旧東ドイツ、フンボルト大学教授ヤコブ・ゼーガル博士と妻リリー博士である。その著書『エイズの起源』は、この人造ウイルスの正体を余すところなく暴いている。邦訳『悪魔の遺伝子操作』（徳間書店）は必読だ。『超インフルエンザ』と併せて読んでいただければ、この悪魔の人造ウイルスの正体が、手にとるようにわかるだろう。

●米下院「秘密公聴会」

発端は、米下院「秘密公聴会」から始まる。

「……今後五年から一〇年以内に、これまで知られているいかなる病原性生物とも、いくつかの重要な側面で異なる新しい感染性微生物を製造することが、おそらく可能になるだろう」

一九六九年六月九日に開催された「秘密公聴会」での証言だ。これは正式には第九一米国議会第一会期・下院歳出委員会／小委員会公聴会と呼ばれ、記録は機密扱いとされた。

証言の主は、米国防総省（ペンタゴン）研究技術部次長のＤ・Ｍ・マッカーサー博士。

次の証言は、まさにエイズ・ウイルス（ＨＩＶ）そのものだ。

「……この微生物のもっとも重要な特徴は、われわれが感染症をほぼ制圧するのに頼っている体内の免疫系と医療には、恐らく対処できないことであろう」

六九年にペンタゴンが〝究極の生物兵器〟開発に着手したのは、六八年にウイルスなどの遺伝子配列が解明されたからだ。マッカーサー証言は、当時のウイルス学の知識とも一致する。

そしてマッカーサー博士は、同公聴会で一〇〇〇万ドルの研究予算を求め、それを獲得した。

●狂羊病＋白血病ウイルス？

前出のヤコブ・ゼーガル博士は、エイズ・ウイルスの遺伝子配列を精査し、二つのウイルスを合成した人造ウイルスであることを突き止めた。

それは、「狂羊病ウイルス」と「白血病ウイルス」の掛け合わせだった。前者は羊の脳を破壊し、後者はヒトの免疫を破壊する。学術的にいえば「ピスナ（狂羊病）ウイルス」と「ヒト

T細胞白血病ウイルス」（HTLV−1）の遺伝子をつなぎ合わせた。

それを、ゼーガル博士は見抜いたのだ。

「……それは『ヒトT細胞白血病ウイルス』によって、人間に感染するようになりました」（ゼーガル博士）

博士は、二つのウイルスを合体させた証拠を上げる。

HIV感染で免疫機能の崩壊が起こるだけでなく、ピスナウイルスが羊の脳を冒すのと同じように、HIV患者の死後解剖で、その八〇％の脳に重大な変化が見られ、生存中エイズ患者の約四〇％に重度の神経症状が見られる事実を上げている。

「……これは、ピスナ病（狂羊病）に相当し、非常にゆっくりと発症します。羊は一〇〜一五年後に死にます。ウイルス遺伝子操作は、設備の整った実験室なら行えます」（ゼーガル博士）

博士は、米軍がエイズ・ウイルスを製造した施設まで特定している。

それは、メリーランド州のフォート・デトリック研究所、五五番建物内P4実験室だ。

開発責任者は、その後エイズ研究家として名を成したロバート・ギャロ博士。世界的にエイズが蔓延し大問題になったとき、米政府が対策責任者として任命したのがギャロ博士だった。

つまり、〝真犯人〟を捜査責任者に任命したのだ！

エイズが茶番の陰謀劇であることがよく判る。

鳥インフルもＳＡＲＳも生物兵器

●米国による遺伝子操作

遺伝子操作という〝魔法の杖〟を手に入れた米軍部は、新しい生物兵器の創造に没頭した。以来、出現した生物兵器は、すべて遺伝子操作された人造生物と断言できる。

手元に一冊の告発本がある。

タイトルは『鳥インフルエンザの正体』（ジョン・コールマン著、太田龍監訳・解説、成甲書房）。副題は「全世界に死と恐怖をもたらす遺伝子操作ウイルス」とある。

「……鳥インフルエンザの正体は、米国の国策による遺伝子操作ウイルスである。このウイルスを造り出したＣＡＢ戦争研究所が、計画段階に戻って、ニワトリからヒトへの渡りをできなくしている遺伝子構造を克服するために全力をあげている。それには確信以上のものを持っている。ここで予言しておく。リメイクされた鳥インフルエンザ（Ｈ５Ｎ１）は、伝染病といえる規模で登場し、新しく備えた、動物からヒトへの障害を乗り越える能力により、人類史上最悪の殺人伝染病のひとつとなる……」（コールマン博士）

同書は、なぜ〝闇の勢力〟が、ひきもきらずにこれら生物兵器を放つのか？　その理由も指摘している。

「……一九七六年以降、米国は極秘のうちにエイズウイルス（一九七八年）、エボラ出血熱ウイルス、新型インフルエンザウイルスなど、続々と遺伝子工学を利用した、地球人口削減のための生物兵器作戦を実行し始めた」

究極目的が人口削減なのだ。

だから、人類に対する無差別の生物テロは、闇の勢力の実行部隊である米軍部の手によって、くりかえされてきた。

●SARSも合成されたウイルス

二〇〇二年一一月、中国広東省で出現したSARS（サーズ）も、その一つにすぎない。

「……三八℃以上の高熱。たいていの風邪に効く抗生物質、解熱剤がまるで効かない。病状はしだいに悪化、激化していく。しつこい空咳《からせき》に苦しむ。それこそ、数秒おきに、体を折って激しく咳きこむ。そして、体中の痛みに呻《うめ》く。筋肉が疼痛で引きつる」

「レントゲンを撮った医師は愕然とする。肺が全面真っ白に冒されているではないか。患者は、もはや自力呼吸は不可能。人工呼吸器で、かろうじて命脈を保つ状態」（拙著『SARS　キラーウイルスの恐怖』双葉社より）

まるで、新型コロナウイルスの症状そのもの。それもそのはず、SARSもコロナウイルスの一種なのだ。

そしてSARSは後年、ロシアの科学者によって、はしかウイルスとおたふくかぜウイルスの合成であることが解明されている。

はしか＋おたふくかぜ＋エイズ＝新型コロナ

●ゲノムで一目瞭然

現在、DNAの塩基配列（ゲノム）の解読技術は、格段に進んでいる。

だから、新型コロナウイルスのゲノムを解読すれば、その正体はおのずと明らかになる。

新型コロナウイルスの登場以来、世界中の研究者から「ゲノム配列に人工の手が加えられている」との指摘が相次いだ。それは、数えきれないほどだ。

しかし、世界のメディアは、それをことごとく無視、黙殺している。

しかし……新型コロナが人工ウイルス生物兵器という研究者の指摘を止めることは、もはやできない。

これまで明らかにされた、新型コロナウイルス＝生物兵器の流れを整理する。

インドの研究チームが、「新型コロナウイルスにSARSウイルスとエイズ・ウイルスの遺伝子を組み合わせた痕跡がある」と発表している（後述）。つまり、以下の図式だ。

SARS（サーズ）＋エイズ（HIV）＝新型コロナウイルス

さらに、SARSがはしかウイルスとおたふくかぜウイルスから合成されたのは前述のとおり。ここから、新型コロナウイルスの成り立ちは、以下の図式で表すことができる。

「はしか」＋「おたふくかぜ」＋「エイズ」＝新型コロナウイルス

つまり、生物兵器と生物兵器を合成したものが、新型コロナウイルスといえる。

●日本人の「はしか」耐性

こう考えると、新型コロナにまつわるミステリーの霧がくっきり晴れてくる。

今、世界中の研究者が首をかしげている。

日本人の新型コロナウイルスによる死者が、世界レベルでも低すぎるのだ。

同じ疑問はSARS流行のときにも話題となった。

同じアジア人なのに、中国人にくらべて日本人の死者は、ほとんど出なかった。

その謎も、ロシア科学者が解明したSARSの成り立ち＝はしかとおたふくかぜのウイルスの合成であることを知れば、うなずける。

日本人は子どもの頃にたいてい、はしかに感染している。

だから、日本民族には、はしかウイルスに対するいわゆる集団免疫が存在する。

このため日本人にとって、はしかは恐ろしい病気ではない。

「百日咳」も似たような感染症だ。『広辞苑』は「百日咳」を「三日はしか」と解説している。

つまり、「三日で治る病」（軽い風邪）という意味だ。

●HIVによって免疫暴走

新型コロナウイルスは、SARSを〝原材料〟の一部としている。

なら、日本人が発症しにくいのも一理ある。

さらに、おたふくかぜも、日本人は子どもの頃よくかかる。だから、やはり耐性ができている。SARSが日本人にあまり〝効果〟がなかったのは、以上のような理由だろう。

新型コロナウイルスに外からエイズ・ウイルス（HIV）を掛け合わせたのは、SARSに免疫攻撃力を付加するためだった、と思われる。

製作者たちの狙いどおり、新型コロナ感染者は、最期に急激な免疫暴走（サイトカイン・ストーム）に襲われる症状が多数報告されている。研究者は、新型コロナウイルスは肺炎ウイルスと思い込んでいるため、突如とした免疫暴走に戸惑っている。

しかし、SARSにHIVを組み込んだものと気づけば、納得できるはずだ。

生物兵器の開発者は、よりパワーアップした〝兵器〟を造り出すことに腐心しているのだ。

噴出！　アメリカによる生物テロ説

●四つのＨＩＶ遺伝子

「新型コロナウイルスは、人工ウイルスだ！」

当初から、世界各国の生物学者は指摘している。
これまでに発表された「人工ウイルス」「生物兵器」説を一覧する。

①「ＤＮＡ配列に四か所エイズ・ウイルスが組み込まれている。それは自然界では起こり得ない」（インド、デリー大学など）

②「新型コロナウイルスは危険な生物兵器に他ならない」（米生物兵器禁止法の起草者フランシス・ボイル博士）

③「新型コロナウイルスにエイズ・ウイルスが組み込まれている。自然界では起こり得ない」（ノーベル生理学・医学賞、受賞者リュック・モンタニエ博士）

④「コロナウイルスへのＨＩＶ遺伝子組み込みは、時計職人のような技が必要。自然界ではありえない」（ジャン＝クロード・ペレス博士、生物数学者）

⑤「消すことのできない人工的痕跡を発見した」（中国『大紀元』二〇二〇年二月一三日）

⑥「ウイルス学者・薫宇紅氏は、新型コロナウイルスが人工的産物だと断言した」（中国・新唐人テレビ『熱点互動』二〇二〇年二月九日）

⑦「世界の専門家では、人工的なウイルスという意見が多い。それは、潜伏期間中にも感染するなど、従来のものと異なる。一つの説として、SARSに手を加えたのではないか？」（杜祖健・米コロラド州立大名誉教授）

⑧「人工的に製造された新型コロナウイルスは、アメリカによる中国に対する『生物戦争』だ」（マレーシア首相補佐官マティアス・チャン氏）

⑨「武漢新型肺炎は四たんぱく質が交換された人工ウイルスだ。中国人を正確に狙い撃ちできるように作られている。米国の『生物戦』の匂いがする。その対中攻撃で無視できないのが『生物戦争』である」（邱崇畏氏、中国共産党軍事サイト『西陸網』二〇二〇年一月二二日）

⑩「新型コロナは、人工的に二種のウイルスを合体したキメラ（人造生物）の可能性が濃厚だ」（A・アサニン博士、進化生物学）

⑪「新型コロナウイルスはアメリカの生物兵器で、ニューヨーク州ロングアイランド沖にある『高度隔離施設』プラムアイランド動物疫病研究所で作られたものだろう」（英紙『Express』二〇二〇年三月六日）

――ちなみに、①のインド研究者たちの発見は、次のようなものだ。

「新型コロナウイルスＤＮＡには、エイズ・ウイルスと同じ四つのたんぱく質のＤＮＡ配列が挿入されている」

つまり、コロナとエイズ・ウイルスとの遺伝子組替えで合成された、という指摘だ。

ちなみにこのインドの研究は、欧米学者から猛攻撃を受け、不可解な〝撤回〟に追い込まれている。

米生物テロ説を裏づける状況証拠の数々

さらに、アメリカによる中国への生物テロ攻撃を裏づける状況証拠も、数多い。

⑴ＣＩＡ予測シナリオ：リアルすぎるパンデミック描写

すでに一五年前、ＣＩＡ（米中央情報局）作成の「２０２５年の世界に関する報告書」は、新型コロナウイルスのパンデミックを予告している。そこにはこう記述されている。

「……二〇二五年までに、伝染性が強く治療法がないコロナウイルスによる世界的パンデミックが発生する。そして、世界人口の三分の一が感染するだろう」

まさに、そのものズバリである。

このCIA報告書は、二〇〇五年に記述されたもの。あまりに正確に現在の状況を言い当てており、米国は極秘裏に今回の新型コロナ・パンデミックを計画していたのではないか？　という疑惑が浮上しているのだ。たとえば、ロシア紙『プラウダ』（二〇二〇年三月二三日）は、「あまりに詳細が酷似し過ぎている」と疑問を投げかけている。

『2025年の世界に関する報告書』には、こう生々しく書かれている。

「……適切な治療法が存在しない、伝染性が高く、毒性の強い『ヒト呼吸器疾患』の出現が、世界的なパンデミックを引き起こすだろう」

そして、病原体の描写も新型コロナそっくりだ。

「……既存疾患を引き起こす病原体が、DNA変異や再合成によって生まれる。それは新型インフルエンザか、SARSやコロナウイルスだろう」

(2)コロナ人工ウイルス：米科学者がすでに開発していた!

そして、米国は新型コロナウイルスの作成にも成功していた……!

「……アメリカの科学者は、すでにコウモリなど動物のコロナウイルスのハイブリッドの人工ウイルスを完成させている。二〇一三年にはすでに、研究者たちはこの新型コロナウイルスを、人間に感染させる方法を研究している」（科学誌『Nature Medicine』）

ロシアの『プラウダ』は、アメリカの陰謀をあばいている。

「……米国政府は先日、アメリカの科学者たちが、新型コロナウイルスに対する実験的なワクチンを作成し、それをテストし始めたことを報告している。さて、どの国が売上高から莫大な利益を得ることになるか？　それは想像するまでもない」

『プラウダ』の皮肉は意味深である。つまり、アメリカは一方で新型コロナウイルスを作成して中国にまいてパンデミックを起こし、他方ではワクチンで荒稼ぎを目論んでいる……。

そう匂わせているのだ。すなわち、マッチポンプ……。十分にありうるシナリオだ。

(3)事前に予行演習：ビル・ゲイツ主催「イベント201」

アメリカでは二〇一九年一〇月一八日、コロナウイルスのパンデミックを想定した予行演習が開催されている。その名も「イベント201」。

主催はなんと、「ビル&メリンダゲイツ財団」。あのビル・ゲイツによる仕掛けで開催されたのだ。この財団は世界ワクチン利権の総本山で、ゲイツは「ワクチンによる人口削減」を公言している。当然、伝染病大流行は、ワクチン利権にとって膨大な利益をあげるチャンスだ。

この「予行演習」は、「コロナウイルスによる世界的な流行に備える」という名目で、ニューヨークの高級ホテルで開催された。そこには、CDC（米国疾病予防管理センター）担当者やジョンズ・ホプキンズ大学、行政担当者などがパネラーとして参加した。

見逃せないのは、パンデミック病原体を、はっきりコロナウイルスと特定している。

そして、中国・武漢で新型コロナウイルス感染者が出現したのは、この「予行演習」の約一か月後。

あまりにタイミングがよすぎる。

(4)武漢軍人オリンピック：民間軍事会社「ブラック・プール」の疑惑

「イベント201」と同時期、武漢で「2019ミリタリー・ワールド・ゲームズ」が、中国政府主催で開催されている。

別名〝軍人オリンピック〟。世界一〇九か国、九三〇〇人のアスリートが各軍隊から参加している。主催国・中国は、建国七〇周年と重なるこの平和祭典の成功に、国を挙げて取り組んでいた。軍人が武器を置いてスポーツで競い合う。素晴らしい国際交流だ。

アメリカからも三〇〇人の米兵チームが参加している。

そして――。武漢に最初の新型コロナウイルス患者が出現したのが、この〝オリンピック〟のちょうど二週間後なのだ。

「このとき、米軍側がコロナウイルスを持ち込んだ可能性があります」

中国通のM・K氏は（後出）そう指摘する。平和の祭典への参加者たちだ。手荷物なども、おそらくフリーパスだろう。そこには軍人同士の信頼関係があった、と思える。

「栄養ドリンクの容器など、いくらでもウイルスは持ちこめますよ」

中国事情に精通するM・K氏は、中国へのウイルス持ち込みと散布に動いたのは「ブラック・プール」ではないか、と言う。初めて聞く名前だ。

「米国の世界最大の民間軍事会社です。はやくいえば、傭兵部隊。（ブラック・プールには）トランプ大統領すら逆らえない、と言われています」

つまりは、一番ダーティーな仕事をこなす連中だ。この秘密組織が、軍人オリンピックに紛れてウイルスを武漢に持ち込み、市場に散布したのだろうか？

中国側リポートによれば、コロナ感染は一か所ではなく、少なくとも四か所で同時に発生している。つまり、同時多発生物テロだ。

それは素人では無理だろう。組織された軍事関係者の関与が疑われる。

他方、トランプ大統領の「チャイナ・ウイルス」「真珠湾以来の攻撃」などの発言でわかるように、アメリカからは中国攻撃の逆デマ作戦が行われている。

いわゆる〝偽旗《にせはた》攻撃〟である。

となると、ますます極秘の軍事作戦の匂いがしてくる。

⑸米大企業CEO大量退陣：史上最大一四〇〇人、情報を知っていた可能性

新型コロナウイルスのパニック発生直前に、アメリカの大企業CEOが次々に退陣していたことが明らかになった。その数は史上最大の一四〇〇人にたっする。

これらCEO大量退職は、二〇〇六年のリーマンショックをも上回る。

それも、コロナショックの直前の大量辞任だ。

「まるでコロナ不況を見越したかのようだ」「事前に知っていたのではないか?」

その不自然な大量退職に、疑惑が浮上している。

なぜなら、二〇二〇年は未曾有のコロナ不況が世界を覆っているが、二〇一九年には、米国株式市場も好調が続いていた。大企業の多くは堅調に業績を上げている。

大企業のCEOにとって、辞める理由などいっさい見当たらない。

なのに、約一四〇〇人ものCEOの一斉退職は、不自然かつ不可解だ。

これらトップたちには、イルミナティなど〝闇の支配者〟と深いパイプがあることは、いうまでもない。これは、9・11テロのときを想起させる。あのときも大量の株売り逃げなど、事前に知っていたとしか思えない出来事が相次いでいる。

今回も、似たことが起こっている。

「……去年から今年初めにかけ、多くの企業関係者から自社の株が売りに出されているのだ。そして現在、世界の株式市場が急落にあえいでいるのはご存じの通りだ。まるで彼らは今年〝何が起こるか〟を知っていたかのように、世界的な危機と大損を避けている」「世界的な企業のトップたちはこのパンデミックについて何か知っていたのかもしれない」(サイト「TOCANA」)

――以上。これら状況証拠は、アメリカの生物兵器攻撃を強く印象づけるものだ。

中国叩き……コロナ恐慌……第三次大戦へ

〝やつら〟の狙いを読め

では――。なぜ、米軍部は、中国・武漢に新型コロナウイルス攻撃を仕掛けたのか？

「アメリカによる習近平潰しですね」

中国事情に詳しいM・K氏（前出）は、明快だ。

「さらに、『一帯一路』潰しですよ」

これは、「二一世紀のシルクロード」と呼ばれる、陸路と海路で東洋と西洋をむすぶ壮大なプロジェクト。習近平政権が打ち出し、欧米諸国をあ然とさせた遠大な計画だ。

新型コロナウイルスの概略は、まず米国イルミナティによる中国攻撃である。

そこには、多重の目的が隠されている。

第一の目的：中国経済への攻撃、弱体化

●経済戦争敗北の反撃

対中経済戦争では、アメリカは完敗している。

経済戦争で負けた。そこで、アメリカは生物テロを仕掛けた、という図式である。

〝かれら〟が武漢を狙ったのは、それは中国経済の中枢都市だからだ。

「中国全土の産業の部品供給（サプライ・チェーン）を担っています。武漢がマヒすれば、全産業がマヒします」（M・K氏）

その生物テロの効果をあげるため、「春節」（旧正月）を狙った。

これは中国では最大の年中行事。人々は故郷に帰省し家族と過ごす。この時期、なんと延べ三〇億人が移動する、という。生物兵器を拡散するのに最高のタイミングだ。

さらに、前述の「一帯一路」潰しもそこに重なる。

「アメリカは、ユーラシア大陸が中国元の経済圏となることを許さない」「（武漢で新型コロナウイルス感染が拡大すれば）中国経済はマヒします。対外貿易もブレーキがかかる。国力を殺げば、『一帯一路』構想も頓挫させられる」（M・K氏）

なるほど……。今や世界経済は、中国の一人勝ち状態だ。しかし、経済戦争に負けたから生

物戦争を仕掛ける……アメリカのやり口はあまりに汚いし、卑劣だ。

では、トランプ大統領は知っていたのか？

「おそらく知らなかったはずです」とMさん。

第二の目的：イルミナティの巻き返し？

●分裂した〝闇の支配者〟

コロナによる攻撃、第二の目的は、追い詰められたブラック・メイソンによるトランプ政権への脅しだ。

これは説明を要するだろう。ベンジャミン・フルフォード氏（国際ジャーナリスト）が指摘するように、トランプ大統領は、旧支配勢力の一掃を計っている。わたしはかねてより、トランプはフリーメイソンの言うことを聞かない、史上初めての大統領だと思っている。

世界最大の国際秘密結社フリーメイソンも、二つに割れて内部抗争を繰り返している、と伝えられる。

フリーメイソンにも明るい側面（サニーサイド）と、暗い側面（ダークサイド）がある。

前者は、下層に位置するロータリークラブなどに代表される友好・慈善活動だ。

そして、暗黒面（ダークサイド）こそが、人類社会に黒い影を落としているのだ。

以下、評論家、並木伸一郎氏の解説。

「……ダークサイドが生まれたのは、イルミナティがフリーメイソンの中枢を占めるようになったからだと見られる。それも、イルミナティ創始者であるアダム・ヴァイスハウプトが介在してからだ。ここでは、彼らを『裏のメイソン＝イルミナティ・メイソン』と呼ぶことにしたい。陰謀論者は、彼らこそ、〝超エリート〟が支配する『世界統一政府』構想の実現を目指している邪悪な連中だと見ている。彼らは、その陰謀を実現するため、テロや紛争などの暴力革命を起こし、最終的に『第三次世界大戦＝ハルマゲドン』を起こそうと企んでいる、という」（『秘密結社の謎』三笠書房）

●ブラックvsホワイト・メイソン

〝闇の勢力〟も一枚岩ではない。〝かれら〟の体制にもヒビ割れが生じている。

それはイルミナティに支配されてきたフリーメイソン組織にも言える。

現在、ブラック・メイソンとホワイト・メイソンにほぼ二分割されている……という。

ブラックは過激派で、ホワイトは穏健派だ。

「……情報によると、これはメイソンの最高位に君臨するとされる、ロスチャイルドとロックフェラーの二つの財閥の間で、内紛が起きたためだという。これまで裏から金融をコントロールしてきた両財閥だったが、時代の趨勢によるのか、あるいは世代交替で不都合なことが起き

ているせいなのか、あちこちで綻びが出始めているらしい」（並木氏）

悪の組織の一枚岩が長続きしないのは、いずこも同じである。

「それに乗じて、内部で反乱を起こし、離脱して『ブラック・メイソン』として暗躍するグループが増えているのだという。つまり、今やメイソンが完全に二つに分かれつつある、というのだ。しかしメイソンのロッジは、それぞれ独立しており、今や、敵と味方に分かれているともいわれている。そこにつけこんだのが、同じく、世界統一を目指すヴァチカンの闇の勢力で、そのヴァチカンが、すでにブラック・メイソンの一派と組んだという情報さえある」（並木氏）

世界各地のマフィア同士の血の抗争と同じだ。日本でも山口組の分裂、再分裂が好例だ。

●魔王の死で分裂は決定的

これら〝闇の勢力〟の分裂・抗争は、二〇一七年デイビッド・ロックフェラーの一〇一歳での死によって決定的となった。彼のあだ名は、〝二〇世紀の地球皇帝〟。彼こそはブラック・メイソンの頂点に君臨してきた男だった。その魔王の死は、ぎゃくにホワイト・メイソンを勢い付かせた。トランプ大統領の誕生は、このような勢力争いが背景にある。

アメリカでのブラック・メイソン利権を支えたハイエナが、ＣＩＡである。

ありもしない大量破壊兵器をでっちあげ、米軍のイラク侵攻を泥沼化させた。

シリア、アフガニスタン、リビア……すべて同じ。米軍は、泥棒と強盗と殺戮の道具として使われた。軍部の良識派は、ＣＩＡに騙され操られたことに激怒している。そして、新しい盟主トランプ大統領を全面支援している。つまり、彼らはホワイト・メイソン側の陣営といえる。

世界最大の軍事力をもつ米軍を後ろ盾とするトランプは強気だ。

ビジネスマンの彼の発想は、明快である。

「……アメリカの利益にならない戦争はしない」

●米軍、ＣＩＡ本部包囲!?

トランプ大統領は、ＣＩＡともども、ブラック・メイソンの旧悪所業を徹底的に暴いている。

「９・11までさかのぼって追及し、犯人を逮捕、処罰する」とまで言っているという。

それは、ブラック・メイソン（＝イルミナティ）を徹底排除する、という宣言である。

すでに、数多くの容疑者が逮捕・拘束され、さらには処刑されている……と伝えられる。

ベンジャミン・フルフォード氏によれば、米軍は極秘出動してジョージア州ラングレーのＣＩＡ本部を急襲、包囲した。そして、ＣＩＡが保管する一切の機密情報をすべて手渡すように要求した。拒否すれば総攻撃するとの最後通諜に、ＣＩＡ側が全面降伏した。

まるで、ハリウッドＳＦ映画だ……。

トランプ政権は、こうして得た情報で旧支配勢力（イルミナティ）の旧悪を次々に暴き、逮捕・拘束・起訴……の手をゆるめてはいない。

●追い詰められ反撃に？

さて――。

ホワイト側に徹底的にやられているブラック側（イルミナティ）も、黙ってはいない。

彼ら（旧勢力）は、奥の手である生物兵器による人類攻撃を仕掛けてきた。

崖っ縁まで追い詰められた旧支配勢力の反撃、恫喝である。

コロナは米軍がまいた生物兵器……というと、必ず反論が返ってくる。

「アメリカでも死者が五万人を突破している。自国民まで巻き込む生物兵器などありえない」

しかしこれは、あまりに考えが甘すぎる。

イルミナティが掲げる新世界秩序（ＮＷＯ）の筆頭目標が、人口削減だ。

まず七〇億人を一〇億人にして、理想は五億人と〝公言〟している。

〝かれら〟は、とりわけ黒人、ヒスパニックなど下層国民を〝無駄飯食い〟と蔑視し、まっさきに〝間引き〟の対象としている。

現にニューヨークでは、黒人やヒスパニック層にコロナウイルスの死者が多く出ている。

第三の目的：大恐慌を起こし借金踏み倒し

●破壊で巨大債務はチャラ

コロナの最終目的は、「健康」への攻撃ではない。「経済」への攻撃である。

〝かれら〟が狙うのは、世界金融の破壊である。

なぜか？　その先に見越しているのが、借金チャラの踏み倒しだ。

アメリカの対外累積債務は、推計数京ドルにたっする、という。

わかりやすくいえば、八万兆ドルだ。これは、アメリカＧＤＰ（国内総生産額）の八年分に相当する。

つまり、アメリカ国民が飲まず食わずで働いても、返済に八年かかる計算だ。

だから、絶対に返済不能の額だ。

なら……どうする。踏み倒す。これが、つねに強者の悪の論理だ。

しかし、アメリカだけが「返済不能」（デフォルト）を宣言するわけにもいかない。

こうなりゃ、世界もろとも巻き添えだ。

そこで放ったのが、コロナウイルスによる「経済」攻撃という図式だ。

●あの世界恐慌より酷い

コロナによる経済攻撃で、まず最初に息の根が止まるのが庶民大衆だ。

世界中で解雇が続出している。首切りの憂き目にあったひとは、収入が突然途絶える。

そんなひとたちが世界中に爆発的に増えている。すると、住宅ローンなどの支払いは一瞬でアウトだ。

「……何千兆円にものぼる個人債務が、世界中で炸裂に向かっている」

海外有名企業のＣＥＯを直撃調査したロイター通信の記事は衝撃的だ。

――シドニーでヘルス事業を営むアスペン・メディカルの会長グレン・キース氏は「このような危機は一〇〇年以上なかった。著名企業でも生き残れないところがあるだろう」と述べた。

接客・飲食業界が「事業存続の危機にある」との回答が最も多く四一％、航空業界三〇％、卸売・小売業界は一九％。約六〇％の経営者が「業績への悪影響は一年以上続く」と予測。また二五％が「従業員数を二〇％以上削減する」と回答している。

つまり、一九三〇年代の世界恐慌よりも深刻だ……と、巨大企業トップは見ているのだ。

しかし、大企業の前に、労働者が地獄に突き落とされる。米国で行われた調査は衝撃的だ。

「アメリカ人の約半数は、四月の終わりまでに貯蓄がなくなる」

これは四月七日付の記事。「新型コロナウイルスが、仕事に与えた影響」を質問したアンケート結果として、三月一八日から四月一日の一〇日余りで「失業」が二倍に増えている。「コロナ対策の経済封鎖で、非常に多くのアメリカ人が将来への不安を抱いている」（一〇〇〇人対象、クレバー社調べ）

コロナウイルスが流行する前ですら、アメリカ国民は全体で一四兆ドルの負債を抱えていた。

「……アメリカ人のこのような借金は、今後予想される三二％に達する失業率と、将来的に予測不能の不気味な雰囲気とあいまって、アメリカ経済は大打撃を受ける可能性が高い」（クレバー社）

なかでも衝撃は、「調査対象の半数が、貯蓄は四月末までに底をつく」と答えたことだ。

●ローン破産カウントダウン

調査結果は、アメリカ国民の危機的現状をあらわにする。

・新型コロナウイルスで約三分の一が失業。
・二五％は追加借金。うち二八％は二〇〇〇ドル以上。五％は一万ドル超！
・アメリカ人の約四〇％は「封鎖」「外出禁止」は過剰対策だと批判。
・持ち家でも三〇％は貯蓄残額がわずか一〇〇〇ドル以下しかない。

・三～六か月間、生活を貯金でやりくりできるのは、わずか九％のみ。
・住宅所有者二二％は一か月のローン返済も不能。二七％が危機感を抱く。

わたしは「アメリカ人は貯蓄しない」とは聞いていたが、これほどまでとは……。

こうなると、アメリカ国民の住宅ローン破産は不可避だ。その他の借金も返済不能。銀行が住宅を差し押さえれば、アメリカ全土がホームレスだらけとなる。

それは、暴動など治安の悪化のひきがねとなる。まさに、悪夢である。

●本当の〝地獄〟が始まる

個人の経済破綻は、持ち家でも賃貸でも同じだ。

ローン返済同様、家賃を払えなければ家を追い出される。

賃貸住宅に住むアメリカ国民も悲惨だ。
・四六％は貯蓄が五〇〇ドル未満しかない。
・四五％は一か月分の家賃すら支払えない。
・四〇％弱は家賃未納で追い出される心配をしている。
・家賃免除か値引きしてもらえたのは、わずか一一％。

以上のようなアメリカの惨状を、サイト「In Deep」は、次のように締めくくっている。

「……アメリカ人の個人債務一四〇〇兆円の多くが『破裂』する可能性があるのです。このことが世界全体で起きようとしています。その額はわからない。ですが、すさまじいものになっているはずです。これを考えれば、一〇〇兆円だ、二〇〇兆円だ……といった国家の追加予算など『屁のようなもの』だということが、おわかりだと思います。破裂する債務は、何千兆円あるいは何京円である可能性があるのです」

さらに、次にような戦慄の予測を述べる。

「……パンデミックが終焉に向かう五月下旬から六月にかけての時期から、封鎖や店舗閉鎖対策を行ったすべての国と地域で、本当の〝地獄〟が始まります」「そして、ロックダウンを強行し続けた指導者たちと、関係当局者たちは、結果的に〝人殺し〟だったことが、さらに明らかになってくるはずです」

アメリカ不払い宣言！　ドル体制の終焉？

●イルミナティの踏み倒し

コロナを放った〝やつら〟は、これが狙いなのだ。

まず……個人破産→企業倒産→銀行倒産→国家破産→不払い宣言……と続く。

つまり、あらゆる国家が債務返済不能でデフォルト（破産宣言）を行う。

そして、その流れでアメリカもデフォルト……。

このとき、世界経済はジ・エンドだ。ドルは紙屑となる。

すると、日本や中国が買わされた各々一〇〇〇兆円ともいわれる米国債も〝紙クズ〟となる。

個人でも自己破産すれば、すべての債務の返済義務はなくなる。アメリカも同じことだ。

つまりは、アメリカを支配してきた〝闇の支配者〟イルミナティ一族が、債務から解放される……ということだ。

つまりは、ヤクザがケツをまくって借金を踏み倒すのとなんら変わりはない。

●米国再建「トランプドル」を！

国際問題評論家ベンジャミン・フルフォード氏は、不気味な予言をしていた。

四年前の予測だが、見事に現在の混沌（カオス）を予見している。

「……国連、IMF、世界銀行といった国際機関すべてが解体され、アメリカの崩壊は不可避だ」。さらにこうも断言している。「『強いアメリカ』を再現するためには、ドルを捨て、新通貨の発行が必要」「ドルに変わる新自国通貨『トランプドル』の発行でアメリカは再建可能」

（『都市伝説DX』宝島社）

彼のいう国連、IMF、世銀など国際機関は、すべてイルミナティが支配してきたものだ。

だから、アメリカ新生の前提に、イルミナティの崩壊がある。その先に新しい通貨「トランプドル」を発行しろ……という。

空前絶後の話で、目が回る人がほとんどだろう。

コロナで世界恐慌を誘発し、超巨額債務を帳消しにする。

そのような旧支配勢力の企みが成就するか否かは、不明だ。

そんな目の眩むような陰謀を許してはならない。

最大被害をこうむるのは、地球に住む普通の人たちだ。

人びとはすでにコロナ禍で、職を奪われ、富を奪われ、家を奪われ……路頭に迷っている。

まずは、コロナ恐慌に潜む〝やつら〟の悪意を見抜くことだ。

そして……その悪魔的な狙いには、〝その先〟があった。

第四の目的：支配と監視で家畜社会へ

●コロナと5Gは連動する

「……新型コロナウイルスのパンデミックは、強力な国家支配を人びとがみずから求めるように仕向けるため仕掛けられた」（デイビッド・アイク氏）

これは、スペイン英語版ラジオでのインタビューに答えたもの。

アイク氏は世界屈指の〝陰謀論者〟として知られている。その膨大無比の調査能力と深い分析能力は、意外や旧体制側からも高く評価されているという。

アイク氏は「コロナと5Gは連動している」と、明快に指摘する。

「……二〇一九年一〇月、ニューヨークで開催された『イベント201』で〝世界パンデミック演習〟が実施されている。これは、まさに新型コロナウイルスの世界的大流行を想定したシミュレーションだ。その主催は、ビル&メリンダゲイツ財団とジョンズ・ホプキンズ大学。さらに、国連や巨大製薬会社（ビッグ・ファーマ）も関わっていた」（二〇二〇年二月一九日、アイクHPより）

イルミナティの中心メンバー、ビル・ゲイツ主宰のイベントで、堂々と将来を見越した〝パンデミック演習〟が行われていたことは、先に述べたとおりだ。

●5G対人支配と監視強化

新型コロナのパンデミックで、〝闇の支配者〟は人類を従順に従わせる方法を習得した。

「家にいろ！」「マスクしろ！」「集まるな！」……コロナ脅威さえあれば、命令も自由自在だ。さらに各国は「都市ロックダウン」「外出禁止令」「違反者罰金」……まさに戒厳令。

権力側は、なんでも命令し人びとを支配できる。

これは、〝かれら〟が目指す新世界秩序（NWO）に向けて格好の〝演習〟となっている。

コロナ感染拡大防止という大義を掲げれば、自由の拘束などやりたい放題できる。

「命を救うためには仕方がない……」。

人々はあきらめ、羊のごとく従順に権力に従うようになる。

それどころか、さらなる強権を求めるようになる。

まさに、アイクのいう――強力支配をみずから求める――ようになるのだ。

その権力の企みに連動しているのが、次世代通信規格・5Gだ。

「……5Gテクノロジーは、エレクトロ・ポーテーションを狙った対人兵器システムだ。これは、電磁波パルスで細胞膜に穴を貫通させる。そして、物質を注入する技術だ。それは、細胞内にDNAやワクチンを注入するため使われる。さらに、5G技術は暴動鎮圧（アクティブ・デファイアンス）にも使われる。これもアメリカ軍が開発中の対人兵器だ。具体的には、電磁波を敵に照射して、皮膚の表面温度を上昇させて攻撃する。5Gは、これら兵器とまったく同じ周波数帯を使用しているのだ。さらに、中国・武漢市は、5Gを試験・推進するための最新モデル都市だった」（同HP）

つまり、コロナも5Gも、人類の支配と操作の〝武器〟として導入された疑いが濃厚だ。

アイク氏は、「……今回のパンデミックが、ワクチンの強制接種、人口の大幅削減……。さらにはDNA操作によるトランス・ヒューマニズム（超人間主義、一種の人造人間）」を目指すものという。

コロナも5Gも、究極の目的はこれらアジェンダ（行動目標）を実現することにある……と暴露しているのだ。

●ワクチン強制で超巨大利益

さらに、〝かれら〟が狙うのが巨大ワクチン利権だ。世界の製薬資本（ビッグファーマ）もイルミナティ傘下にある。すでに一三五もの組織や企業がワクチン開発に血道をあげている。先頭に立つのがビル・ゲイツで、七つものワクチン工場を建設中だ。ジョンソン&ジョンソンも開発を表明している。

マスコミは連日、「ワクチンが早くできれば！」と大衆〝洗脳〟をくり返す。なんどもアタマに刷り込まれているうちに、人びとは「ワクチンがすべてを解決する」と思い込んでしまう。「ワクチンを偽装した〝生物兵器〟を開発する」というWHO極秘文書の衝撃を忘れてはならない。ワクチンの正体は、〝闇の支配者〟がゴイム（人類）に強制する〝間引き〟のための生物兵器なのだ（参照拙著『ワクチンの罠』）。

――①コロナを煽《あお》る→②ワクチン幻想を植え付け→③各国政府による強制接種――

これが、〝かれら〟の描くシナリオだ。

宿願である人口削減という〝間引き〟も、タダではやらない。ちゃんとカネを取って、ゴイムの数を減らすのだ。すでに支配下の一〇〇社以上の製薬会社が、並行してワクチンを開発中だ。〝効能〟〝安全〟を証明する臨床試験結果など、自在に操作できる。これまでもそうしてきた。医薬許可の臨床試験三分の二以上はペテンだった！（米国食品医薬局ＦＤＡ調査結果）

ワクチンには、防腐剤、発ガン物質、神経毒、不妊剤、さらにマイクロチップなど、あらゆるモノを極秘に忍ばせておく。人類という「家畜」の管理と支配は、完璧となる。

そして、全人類約八〇億人へのコロナワクチン接種を法律で強制する。これで、目のくらむ利益と、目のくらむ人口削減の成果を上げることができる。まさに、一挙両得だ。

英ブラウン元首相「世界政府樹立を」要求

●コロナ対策G20に要請

世界支配こそイルミナティの宿願だ。コロナによる生物テロも、その一歩である。

それを証明するニュースも飛び込んできた。

英国のブラウン元首相が、衝撃提案を行った。

Ｇ20の席上で、「世界政府樹立」を緊急要求したのだ。

ネット上も「イルミナティ本格始動……『新型コロナ』でＮＷＯ（新世界秩序）成就へ！」

などと騒然としている。

当然、元首相がイルミナティの一員であることは、まちがいない。

英紙『The Guardian』は、こう報じている。

「……三月二六日に開催されたG20テレビ会議に先立ち、英元首相ゴードン・ブラウンが、新型コロナウイルスのパンデミックを乗り越えるため、一時的な『世界政府』の設立を世界の主要国指導者に呼びかけた」

●イルミナティの命を受け

この突飛な発言は、その後、まったくニュースとして配信されていない。

イルミナティが支配する世界メディアも、これは言い過ぎだ……と抑えたのだろう。

しかし、サイト「TOCANA」はこのニュースを重く見る。

「……世界的にまったく注目されていないニュースだが、実は陰謀論的には今後の世界のあり方が根本的に変わるかもしれない大ニュースなのだ」

それにしても、元ブラウン首相とは何者か？

「……ブレア政権で財務大臣に任命されている。そして、彼が財務大臣として行った最大の功績は、金融政策の権利と責任をイングランド銀行へと大幅に譲渡した金融改革だ。これによりイングランド銀行は大きな自由を手にし、政府から独立して決定を行えるようになった。言うまでもないが、イングランド銀行はロスチャイルド家が設立した中央銀行である。それにおもねるような政策を実行したブラウン元首相は、かねてよりロスチャイルド家の犬だと見られている。そんな人物が急に世界政府樹立要請をしたわけだから、その意図を疑わずにはいられない」（同サイト）

コロナで世界中が大パニックに見舞われているときに……。

「……ブラウン元首相は、ロスチャイルド家の命令で、新型コロナウイルスで世界が混乱しているなか、火事場泥棒的にイルミナティの悲願である新世界秩序を実現しようとしているわけだ」「さらに、踏み込んで考えると、新型コロナウイルスのパンデミックそのものもイルミナティのシナリオに最初から組み込まれていたのかも知れない」「考えてみれば、今回のようなウイルスの未曾有の世界的流行は、世界が一丸になってもおかしくない自然な状況を作り出すのに最適だ」（同サイト）

……まさに同感である。

●未来に待つ人類家畜社会

〝闇の勢力〟（イルミナティ）は、まだ地球統一政府樹立を諦めてはいない。

ちなみに、〝かれら〟が究極にめざす未来社会は、「アジェンダ21」（一九九二年、国連サミット採択文書）に記されている。それは一〇項目からなる。

①統一政府樹立、②人口大幅削減、③私有財産否定、④居住自由禁止、⑤職業自由禁止、⑥最低教育実施、⑦子供は国が没収、⑧宗教全面禁止、⑨反対者は弾圧、⑩国家企業管理

これはもはや奴隷国家ですらなく、家畜国家である。

一七七三年、マイヤー・ロスチャイルドの「世界支配戦略（二五カ条）」以来、〝かれら〟は、その野望の実現のために生きてきた。世界中の国々の中央銀行を乗っ取り、国家を借金奴隷にして支配し、絶え間なく戦争を起こして、莫大に富を収奪、蓄積してきた。

それも、将来の地球と人類を完全支配するためである。

コロナも5Gも、この暗黒の未来に導く道標の一つである。

その隠された真実と謀略を忘れてはならない……。

第五の目的：第三次大戦（ハルマゲドン）を起こせ！

●この道はいつか来た道

第二次大戦の引き金となったのが、一九三〇年年代の世界大恐慌である。

さらにその原因となったのが、一九二〇年の「スペイン風邪」である。

その原因も米軍部による若い兵士たちへの予防接種であった。

一説では一億人が死亡して世界経済は疲弊、それが世界大恐慌へとつながった。

――現在のコロナ恐慌とまったく同じだ。まさに、この道はいつか来た道……。

そして、ナチスが台頭し、一気に世界は第二次大戦に突入した。

――**①予防接種→②スペイン風邪→③社会不安→④大恐慌→⑤失業者→⑥第二次大戦**――

こうして、〝やつら〟は巧妙に、二つの大戦を起こしてきた。

同じ仕掛けで第三次大戦を起こすなど、造作もないことだ。

かつてのシナリオを再現するだけの話だ。

失業者を溢れさせる。若者を軍隊に勧誘する。軍国主義が復活する。世界をブロック化する。

食糧・資源で対立させる。各国間の憎悪を煽る。第三次世界大戦勃発……。

あとは、愚かなゴイムたちを、殺し合わせればすむだけの話だ。

大幅な「人口削減」も達成できる。

一八七一年、フリーメイソンの〝黒い教皇〟アルバート・パイク（**写真2―1**）は、これから起きる三つの世界大戦を、「全てはフリーメイソンが計画して起こす」と予言している。

そしてそれは、恐ろしいほどに的中しているのだ。

つまりそれは、予言ではなく〝予告〟であった。

サイト「ＴＯＣＡＮＡ」では、「新型コロナウイルスと軍事産業の関連――政情不安の地域

■三つの大戦を予告した“黒い教皇”

写真 2-1　アルバート・パイク

を発生させて、戦争を増やす」と題した記事で次のように警告する。

「……コロナウイルスの流行は、新たな戦乱の幕開けなのだ。いったいどうして？　世界の指導者たちが目を背ける真実がしだいに明らかになりつつある」

発火点の可能性があるのがイランだ。

「……イランで感染拡大による混乱が広まれば、影響は世界全域に広がっていく。強硬な反米国家であるイランは、中東での勢力拡大のために各国の内戦に支援を行っている。イエメンでのフーシ派、シリアのアサド政権への支援……新型コロナウイルスによって秩序が崩壊すれば、もっとも得をするのは誰か。おのずと感染拡大の主犯が見えてくる」（同）

●「兵器」「金融」ボロ儲け

それは国家というより、軍産複合体の共同謀議……。

「……米政府が世界各地で軍事行動を仕掛けて、軍産複合体も利益をあげる。そのサイクルによって、アメリカは国家の命脈を保ってきた。このシステムは、ベトナム戦争後に破綻するかと思われたが、湾岸戦争で復活、兵器のハイテクによってより多くの産業を巻き込みながら、拡大を続けている」「新たな利潤を上げる方法は、世界に政情不安な地域を発生させて、稼げる戦争を増やすことである。そのために、国家同士のバランスが崩れてしまう新型コロナウイルスの流行は、またとない機会なのだ」（同）

戦争はイルミナティにとって、「兵器」と「金融」の二重で稼げるビジネス市場である。

さらに、コロナ恐慌で世界に失業者があふれることは確実だ。

彼らを軍隊に招き入れれば、あっというまに世界各国は軍事国家に変貌する。

これで、第三次世界大戦の準備は整った。あとは、イルミナティにとっての〝公共事業〟戦争を拡大すれば、市場も面白いように拡大する。

やりかたは、第一次・第二次大戦で行った扇動（洗脳）テクニックを再度応用すればよい。

●飢餓地獄から戦争に突入

第三次世界大戦を勃発させれば、長期債務もなにもかも全てがふっ飛ぶ。

そして、金融・兵器の巨大市場が出現する。彼らの悲願である人口削減も達成できる。

まさに一石三鳥。これほど適した〝イベント〟もない。

コロナで個人破産、企業破産、国家破産が起きると、その先に飢餓地獄が待っている。

つまり、国家間で「生きるか？　死ぬか？」の対立が発生する。これが〝やつら〟の狙いだ。

かつて日本では、「君が行くなら、僕も行く。赤い夕陽の満州へ」という熱きロマンに洗脳されて、多くの人々が、中国大陸に侵略していった。

食えなくなると、人間はなんでもやる。

〝やつら〟は、その人間の本性を熟知しているのだ。

悪魔達のハルマゲドン（最終戦争）突入を、許してはいけない。

ここまで読んでも、「あまりに荒唐無稽……」と、ただあ然とする人も多いだろう。

しかし、これまで人類がたどってきた悲劇、惨劇を思い起こしてほしい。

信じられないことが、いくたび、人類を惨禍にたたき込んできたことか？

「ありえない」と思ったことが、今回のコロナでも起こった。

大惨劇を未然に防ぐ――。

そのためには、わたしたち一人ひとり、世界の市民の目ざめしかないのだ。

第3章　致死率〇・一%、普通のインフルエンザと同じだ！
――「コロナの恐怖をあおれ！」〈死ぬ死ぬサギ〉の茶番劇

毎年インフルエンザで最大七〇万人死んでいる

●死者は三種の病気もち

「……平均的な年でも、世界で三〇～七〇万人がインフルエンザで死亡しています。ふつうのインフルエンザですよ。COVID-19の死亡者は、遠く及びません。それに、人々は、家に隠れたりしません。他の人から遠ざかったりしない。他の人を怖がったりもしない。ふつうの生活を続けます」（アンドリュー・カウフマン医師）

〝公表〟された世界での新型コロナウイルス死者は、二〇二〇年五月一二日時点で約二八万人。一見すると驚く数字だが、それは後述のように信じられない〝水増し〟が行われている。

カウフマン医師は続ける。

「自問してみてください。なぜ、いま（新型コロナ規制という）極端な手段の対象になっているのでしょう？」

さらに、各国が発表する新型コロナ感染死者にもカラクリがある、という。

「……死亡者について、大きな数字がイタリア政府から出てきました。これら死亡者をみると、その半数は三種類もの深刻な病気にかかっていた。たとえば、ガン、心臓病、腎臓病などですね。だから、そういった脆弱・虚弱な健康状態の人が、ごくふつうの風邪にかかれば、死亡する可能性がある。健康な人は、深刻な状態になっていない」（同氏）

●致死率〇・一％で封鎖とは？

同じような例を、カウフマン医師があげる。

「……A・ファウチ医師が『ニュー・イングランド医療ジャーナル』に書いている。インフルエンザウイルスvsCOVID-19。致死率約〇・一％の深刻な季節性インフルエンザとの比較です。そして『全体的に臨床結果において両者は同様であった。新型コロナウイルスは、心配する必要はない。大量死にはならない』。WHO（世界保健機関）が最初に言った数字（死亡率）は、三・四％。しかし、COVIDタスク・フォース（特殊部隊）のファウチ隊長は、死亡率が〇・一％だという。それで世界全体がシャット・ダウンですよ。まるで無意味です」

新型コロナウイルスの致死率が、WHO公表値の三四分の一とは……。にわかには信じがたい。

しかし、同様の報告は続出している。以下に書く情報に目をとおして、あなたは驚くだろう。テレビ、新聞が、なぜか故意に隠している事実がここにある。

●マスコミ情報は嘘だらけ

①致死率〇・一％以下：もっともよく研究されている韓国、アイスランド、ドイツ、デンマークによれば、ＣＯＶＩＤ‐19の致死率は、〇・一％以下である。したがってＷＨＯが当初想定したものの二〇分の一である。

②中国も〇・一％：中国・武漢で得られた致死率も『Nature Medicine』研究と同様の結論（〇・一％）となった。武漢での致死率は、当初きわめて高かった。その数字が得られた理由は、「無症状」あるいは「穏やかな症状」の感染者が記録されていなかったからだ。

③オランダ〇・一六％：一五〇〇名の献血者によるオランダの研究では、ＣＯＶＩＤ‐19の致死性は、一〇〇〇名あたり一・六人である。つまり強度のインフルエンザ流行程度である。

④「陽性」五～八割無症状：検査で「陽性」となった五〇～八〇％の人間に症状が出ていない。七〇～七九歳ですら、その六〇％には、何の症状も出ていない。

⑤通常死亡と同じ：多くの国で、死亡年齢の平均値が八〇歳以上である。死亡者の年齢・リスクをプロファイル（解析）すると、それは、基本的に通常の死亡と変わらない。

⑥若者死亡は誤報：多くのメディアが報道する、若くて健康な者のＣＯＶＩＤ‐19死亡という

のは、詳細な調査で「まちがい」と証明されている。これらの人々の多くは、COVID-19で死亡したのではない。事実として深刻な持病を抱えていたのだ。

⑦死者に変化なし：通常の死亡者数を見てみると、アメリカは一日八〇〇〇名、ドイツ二六〇〇名、イタリア一八〇〇名。COVID-19と比較するとケタ違いの死者だ。

さらに、一年間の普通のインフルエンザ死亡者は、アメリカで最大八万人、ドイツ・イタリアは最大二・五万人。スイスでは一冬あたり一五〇〇名。COVID-19の死者を、いくら水増ししても追いつかない。

「新型コロナウイルスは、普通のインフルエンザと変わらない！」

なら、この世界のから騒ぎは、いったいいなんだ!?

「自由なき未来が待つ」（スノーデン）

●すでに徹底監視社会

テレビ、新聞は、連日、連日……コロナ報道に明け暮れています。

「いったい、いつまで続くのだ?」

そう思いながら、人びとはテレビ、新聞の報道にすがりつく。

それしか情報源がないからです。

政府は、さらに役に立ちません。

わが安倍内閣の醜態には、もはや国民は怒りを通り越して、あきれ果てています。

そんなとき、「地球は〝闇の力〟が支配してきた」などと聞いても、「それどころじゃないよ！」と怒りたくなるでしょう。

しかし、マスコミ報道だけにしがみついていると、本質を見失ってしまいます。

残念ながら、日本に、いや世界に、報道の自由などは存在しない。

そして、全世界でコロナに立ち向かっている政治家、医療関係者、さらにジャーナリストたちも、真摯で必死であることはいうまでもありません。

しかし、コロナ騒動の奥にある企みも、キチンと見すえておくべきです。

そうすれば、サバイバルの方向も方法も見えてきます。

「……われわれは、自由のない社会へすべり落ちていく」

これは、エドワード・スノーデン氏の警鐘です。

つまり「新型コロナを利用して、政府が権力を増大させようとしている」（同氏）。

彼は、米国の世界最大のスパイ組織ＮＳＡ（国家安全保障局）に勤務していた。

そして、米国政府が、一般市民の個人情報まですべて監視対象としていることに驚愕。

身の危険を冒して、全世界に内部告発した英雄である。

その彼が、新型コロナウイルス騒動の裏を見抜いている。
「……世界権力者たちは、パンデミックを利用して抑圧を推進している」「それは、緊急事態法の増加、監視システムの増強など、政府は市民から権利を奪い、それはコロナ収束後も放さない」（米ウェブメディア『VICE』インタビュー）
彼はさらに、人々が管理されることを自ら求めるようになる危うさを指摘する。
「……権威主義が蔓延し、『緊急事態法』が増加するにつれ、私たちは自らの権利を犠牲にするとともに、今よりも市民の権利がなく自由がない世界へ、すべり落ちていく。それを止める能力すら犠牲にしてしまう」（スノーデン氏）

●ディストピア（絶望郷）へ

同様の警告は多い。

「監視技術監督プロジェクト」幹部のアルバート・フォックスカーン氏も断言する。

「……新型コロナウイルスへの対応を通して、権力を拡大することに躍起になっている政府機関が、ウイルスが根絶された時に、その権力をみすみす手放すとは思えません」

民衆の支配と操作は、いかなる権力も望むところだ。

権力にとってコロナ騒動は、まさに奇貨となった。

「……じっさいに韓国、イスラエル、シンガポールでは、感染拡大を防ぐために、携帯電話から個人の行動が追跡されており、中国では以前にもまして、大規模に監視カメラが導入されている。また、インドでは外出禁止令を破った人々が、パトロール警官に棍棒で殴られるという異常な状態だ」「感染防止という大義名分の前では、人々も反抗しにくいどころか、自らの自由を手放すことに躍起になっている。権力からすれば、願ったり叶ったりの状況だ」（サイト「TOCANA」）

そして、人類の行き着く先は、ジョージ・オーウェルが描いた巨大コンピュータ〈ビッグブラザー〉に支配される暗黒の全体主義国家……？

ユートピア（楽園郷）ならぬ、ディストピア（絶望郷）だ。

●人類（ゴイム）を屠殺《とさつ》せよ

さらに、コロナ・パニックを奇貨としているのが医療利権だ。

マスクなどはまだ可愛いほう。一攫千金の稼ぎどき、と手ぐすねをひいているのが大手製薬会社（ビッグファーマ）。まず、レムデシビルやアビガンなどの治療薬利権。

さらに巨大利益が見込めるのがワクチン利権だ。

すでに、全世界で百種を超えるワクチン開発競争が進んでいる。

ベンジャミン・フルフォード氏は「コロナより恐ろしいのはワクチン強制」と警告する。

ワクチンこそ国際医療マフィアにとって垂涎の利権だ。

国家強制で全国民に接種できる。その利益には目がくらむ。

さらに……不妊剤を潜ませれば人口抑制。精神毒を加えれば人類家畜化……。

人類（ゴイム）の屠殺処分も自由自在だ。

すでに、人々はコロナ〝治療薬〟に殺到している。

ワクチンが登場したら、先を争って群がることだろう。

もはや大衆の行動は、〝闇の支配者〟の思うままである。

肺炎、心不全……死者はみんなコロナにしろ

●インフル死者をプラス？

①アメリカで〝肺炎〟死者が激減！

グラフ3-2（次ページ）は、アメリカの毎年の週ごとの肺炎死者の数を表す。

一番下のグラフ（二〇一九～二〇年）が異常な減り方です。

アメリカの今年に入ってからの肺炎死亡者数（ＣＤＣの報告）が、奇妙な下降線を示している。アメリカ国内でも疑惑を呼んでいる。

「……ＣＤＣは新型コロナウイルスによる死者数に、インフルエンザによる肺炎の死亡者数を加えているんじゃないか？」

■アメリカでは肺炎死者をコロナ死に

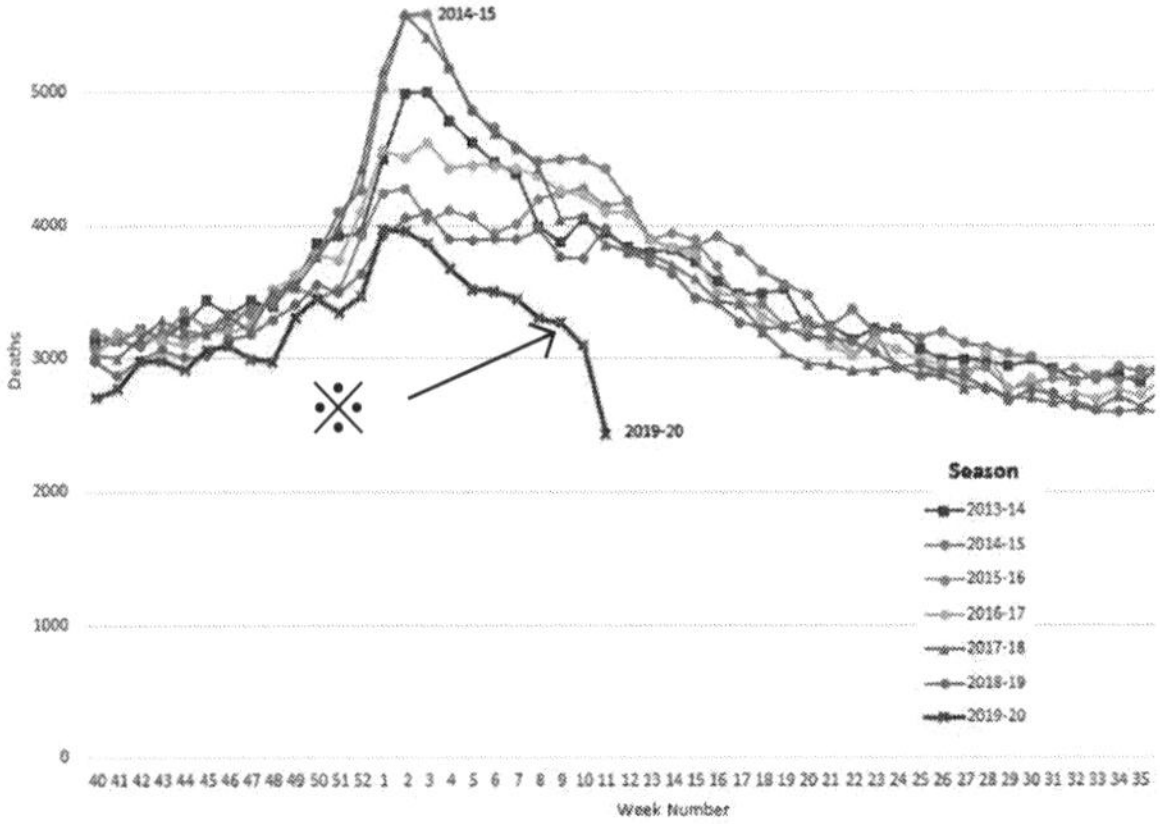

グラフ 3-2　アメリカにおける肺炎死者数の週ごとの推移
出典：https://www.cdc.gov/

だから、その分アメリカの肺炎死者が減っている。まさに、子どもだまし！

もともとCDCは、二〇一四年までは死因を「インフルエンザ」と「肺炎」の二つの項目に分けて報告していた。

ところが、なぜか二〇一五年から、二つをいっしょにしてしまった。

この年にオバマ政権でCDC長官を務めていたT・R・フリーデンは、二〇一八年、痴漢行為で逮捕されている。そんな破廉恥漢でも、長官が務まるような組織なのだ。

そして、国民に向けて、突如こんな予測を公表した。

――毎年、インフルエンザで一万二〇〇〇人から六万一〇〇〇人が亡くなっている――

・・・これは、インフルエンザの恐怖を煽ってワ・クチンを打たせる策略だ。

「……そこで、COVID-19肺炎による死亡者が、思うように増えないものだから、こっそり昨年まで『インフルエンザ』と一緒にしていた『肺炎』の項目とは別に『COVID-19＋肺炎』の項目を作って死亡者の数を報告しているのでは？　その分、今年に入ってから『肺炎』の死者数が激減しているというお話。……」（「YuHiのブログ」）

米政府は、姑息なゴマカシをするものだ！

②各国のコロナ感染者数は水増しだった。

そもそも、コロナにくらべ、毎年のインフルエンザ感染・死亡者のほうが、はるかに多い。

「アメリカ、イタリア、中国……そもそも各国には、新型コロナウイルス感染者を診断するキット（RT-PCR）や、それに必要な特殊な器械は十分にありません。したがって、この感染症確認というのも、ある地域でインフルエンザ・ウイルス感染様の症状があれば、検査もせずに（あるいは画像診断だけでコロナに）カウントしている。（検査そのものがイカサマ！）さらに無症状の人にも検査をやりまくって、『偽陽性（無実の罪）』で、数をふくらませている。つまり、今回の騒動は、各国が示し合わせて〝虚偽〟をやっているのです」（崎谷博征医師のフェイスブック）

③アメリカで心臓マヒ死者が謎の減少

全米の病院で、心不全による死亡者数が、謎の減少を見せている。

これは、新型コロナウイルスの流行で肺炎死者が激減しているのと同じトリック。

政府顧問の医学者・ブリクス博士は、悪びれず明言している。

「……亡くなった時に新型コロナウイルスに感染していれば、COVID-19による死亡としてカウントしています」

「つまり亡くなる際にコロナウイルスに感染していたら、肺炎だろうが心臓疾患であろうが、COVID-19で亡くなったと報告しているのです。心臓疾患死がCOVID-19死に書き換えられているということです。基礎疾患は無視ということ。また、医者がコロナの検査をしなくても死亡時にそう判断したら、COVID-19による死亡と報告されているそうです」（「YuHiのブログ」）

つまり、なんでもかんでもコロナで死んだコトにする。

これは、抗ガン剤によるガン患者虐殺隠しと似ている。死因がガンだとされる患者の八〇％は、じつは猛毒抗ガン剤、有害放射線、危険手術で死んでいる（殺されている）（O大学医学部調査）。しかし、遺族は「ガンで亡くなった」と諦めている。

死亡診断書に「死因：××ガン」と書いて、医者は自らの責任を、棺桶に封印しているのだ（参照『あぶない抗ガン剤』共栄書房）。

バスに轢《ひ》かれて死んでも「コロナ死」とは⁉

●金のために死者数を水増し！
④「何でも〝死因〟はコロナにしろ！」(CDC)

コロナの犠牲者がもっとも多いとされるアメリカで、「死者数を水増ししている」と指摘する議員や医師たちの声が相次いでいる。さらに、衝撃の内部告発も……。

「……米モンタナ州の内科医Ａ・ブカチェク医師が、ＣＤＣ（米国疾病予防管理センター）から医師らに、『死亡診断書』に記載する死因として、『新型コロナウイルス感染症（ＣＯＶＩＤ-19）による死亡を誇張するよう』指示があった、と述べた」（『地政学ジャーナル』二〇二〇年四月一一日）

なにしろＣＤＣは、「ＣＯＶＩＤ-19による死亡推定は、検査なしでＯＫ」というから、あきれ果てる。

さらに、金のためにコロナ死者数を水増しするという悪質例も告発されている。

内部告発を行うのは、共和党の州議会議員でもあるＳ・ジェンセン医師。

「……病院など医療機関がＣＯＶＩＤ-19の患者を受け入れた場合一万三〇〇〇ドル（約一四〇万円）、さらに人工呼吸器を使用すると三万九〇〇〇ドル（約四二〇万円）が、政府管轄メディケア（社会保障制度）から病院などに支払われる。そして、CDCガイドラインでは、死亡患者の新型コロナウイルス感染の有無は、医師独断で行える。そのためどんな死因でも、COVID－19だった……とした方が得になる」

⑤交通事故で死んでも〝コロナ死〟とは！

CDCガイドラインによれば、「バスに轢かれて死亡した場合でも、もしコロナウイルスの陽性反応が出れば、COVID－19による死亡だと推定される……」。

ジェンセン医師は「FOXニュース」の取材にこう答えている。

「このばあい、交通事故によって引き起こされるどんな損傷も、死因には関係しないのです」

こうなると、ムチャクチャ。

CDCは、なぜコロナ死を増やしたいのか？

背後にいるイルミナティの命令だ。〝闇の支配者〟は、コロナ・パンデミックを煽って、ロックダウンなど監視強化を図りたい。コロナ・パニックを新世界秩序への鍵としたいのだ。

⑥「数字はウソをつかない」「ウソつきが数字を使う」

三〇年間、モンタナ州で検死官を務めてきたA・ブカチョフ医師は、次のように告発する。

「……CDCは、他の原因で死亡しても、コロナ陽性だったら〝コロナ死〟にしろ、という。

こうして、コロナ死は自動的に水増しされます。

ＣＤＣと全国人口動態調査局がすべての医師に、死亡診断書にそう書くよう命令しています。仮定だけでも、〝コロナ死〟と発表してもよい。

死亡者がコロナ陽性だったからといって、コロナによる死亡とはなりません。コロナ陽性の患者が敗血症など他の原因で死亡したら、コロナによる死亡ではなく、『死者はコロナに感染していた』が正確です。

しかし、ＣＤＣガイドラインは、そんな場合でも〝コロナ死〟とするよう指示している。

そして、疑わしい死を次々と〝コロナ死〟とラベル付けし続けている。

公式データベースにウソの数字をかんたんに加えられる！

最終的な統計が恐ろしく見えるのは当然です。したがって、コロナのじっさいの数字は、みなさんが聞かされているようなものでありません。実際は、うんと少ないはずです。

でも、人々は不正確なデータを恐怖を煽られ、自由を放棄しているのです。

ことわざにあるように『数字はウソをつかないが、ウソつきは数字を使う』のです」

⑦どうしても集団接種したいワクチン利権

「もし、ＣＯＶＩＤ-19の感染によるアメリカ人の集団免疫が完成してしまうと、ワクチンの集団接種を義務づける計画が破綻してしまう。そうなっては欲しくない。全員にワクチンを打って管理するほうが、好ましい」

この仰天発言の主は、アメリカ国立アレルギー・感染症研究所所長のアンソニー・ファウチ氏。思わずもらしたホンネに焦りが見える。

つまりは、自然感染で「集団免疫」が獲得される。

そのことを、ワクチン利権側も認めているのだ……。

⑧自然治癒するのに！

なんと、日本の医学界まで、新型コロナウイルス感染に薬物療法など行わなくても、自然治癒すると認めている！

日本感染症学会と日本環境感染学会は、「五〇歳未満は、肺炎を発症しても自然治癒する例が多い。そのため、抗ウイルス剤を投与せずとも経過観察でよい」（二〇二〇年二月二二日）との見解を発表している。

さらに「症状が無かったり、軽い場合は、一週間で症状が良くなる。そのため自宅安静で十分である」という。

どちらがおすすめ？　欧米式orスウェーデン式

●一八〇度逆、わが道を行く

ここまでみてくると、新型コロナウイルス感染者を、できるだけふくらませて医薬品漬け、ワクチン漬けにしたい——という〝闇の支配者〟の欲望がロコツです。

世界のコロナ・パンデミック騒ぎが、コメディに見えてきます。

はしなくもワクチン推進派の学者ファウチ氏が、アメリカ人に「集団免疫」はついてほしくない、と思わずトンデモ発言を漏らすなど、その思惑は、大きく崩れているようです。

そこで——。

「集団免疫」といえば、注目を集めているのがスウェーデンです。

この国は、その他大勢の国々とは一八〇度異なった、真逆の道を進んでいます。

まさに、我が道を行く——。

世界中の国々が、悪質なデマに煽られ、コロナ感染を恐れて、国境封鎖、都市ロックダウン、外出禁止、企業活動規制など、前代未聞の〝金縛り〟政策に突入した。

そんななかで「人々の健康同様、国の経済も重要である」と、EUの中でも独自路線を選択したスウェーデン。むろん、コロナウイルス対策を放棄しているわけではない。

集団過密による感染を避けるため、集会は規制されている。

学校は高校と大学が休校で、小学校は開校している。子どもはほとんど、感染しても発症せず、他人にうつすことは皆無に近いと判断したからです。

●陽性者は〇・〇四五％

これら数少ない規制以外、市民の行動はまったく制限されていない。ほとんどの人々が、マスクも着けずに外出し、買い物をし、レストランで仲間と食事を楽しんでいる。

その他の国々は、ほとんど外出禁止令が敷かれ、まさに戒厳令モード。

両者は、同じ時代とは思えないほど対照的だ。

むろん、スウェーデンでもＣＯＶＩＤ‐19感染者は出ている。三月三一日の時点で、陽性者は四六〇五人。人口一〇二二万人の〇・〇四五％だ。そして、コロナ感染が確認された死者は、二三九人。この数字をそのまま死亡率に直すと、五・二％になる。

テレビのニュースで「集団免疫を期待するスウェーデンだが、コロナ死亡率は八五倍」という数字を目にしてギョッとした。「集団免疫策の代償は大きいなぁ」とため息が出た。

しかし、カラクリがわかった。ＣＤＣ（米国疾病予防管理センター）なら、強引にこれらすべて「コロナウイルス感染死」と片付けるのは、まちがいない。

これまで述べてきたように、それは「バスに轢かれてもコロナ死」というようなもの。

大人のスウェーデン政府は、そのような愚かなことはしない。

なお、スウェーデンでのじっさいの感染者数は不明だ。

そもそも無症状の人は、検査を受けない。ちなみに判明している感染者で感染率を算出すると、感染者は一〇〇万人あたり四九〇人。残り九九万九五一〇人は非感染者である。

スウェーデンが証明！　コロナの馬鹿騒ぎ

●外出禁止、店舗閉鎖も無意味

ロックダウンも外出禁止も、無意味だった……。スウェーデンがそれを証明している。

グラフ3‐3（次ページ）に注目してほしい。欧米一三か国の新型コロナ死亡率の比較だ。

スウェーデンは他の国と異なり、ロックダウンも外出禁止も店舗閉鎖も行っていない。マスク強制すらしていない。

だから、他の国々にくらべて、新型コロナの死者もケタ外れに多いはずだった。

スウェーデン政府も、「集団免疫獲得のため、ある程度の犠牲を払う」と公表してきた。

しかし、**グラフ3‐3**では、意外やスウェーデンのCOVID‐19死亡率は、欧米諸国の中間に位置する。きびしい対策をとったドイツ、オランダ、イタリア、フランスなどのほうが、初期の死者はケタ外れに多い。

■ロックダウン、外出禁止は無意味だ

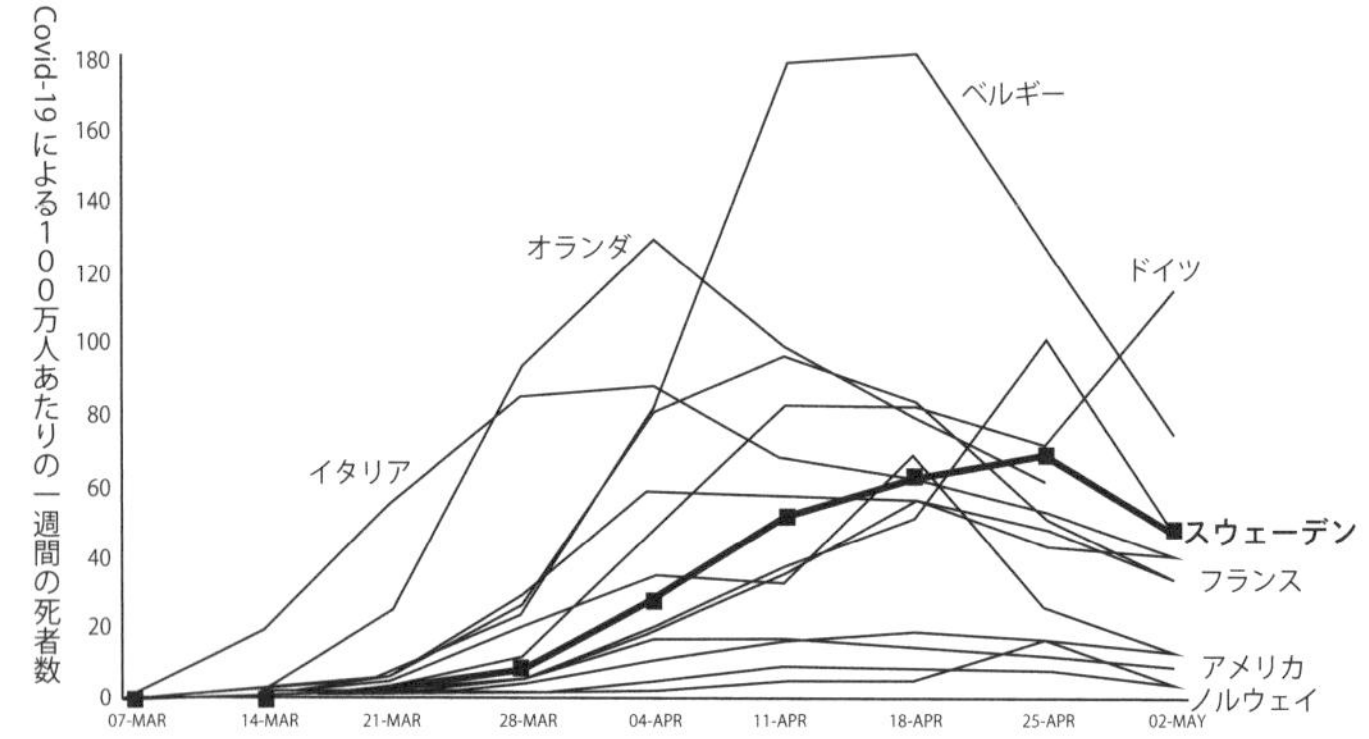

グラフ3-3　欧米13か国の新型コロナ死亡率の比較
出典：The Blog Mire

この統計は、ロックダウン、外出禁止、店舗閉鎖は無意味だったことを証明している。

つまりは、新型コロナの脅威は、通常インフルエンザ並みだったのだ。

手洗い・うがいなど、通常の対策で十分だった……ということになる。

●「コロナ死」は「医療体制不備」

「……死者の多くは、どの国でも、**①高齢者、②持病あり、③免疫力低下**という共通項がある。だから、決して『コロナウイルスでヒトが死ぬ』わけではないのです（ウイルス感染によって肺炎や急性呼吸器不全ARDSによって死亡している）。なので『コロナ死亡』、実は『医療体制不備』による死亡。なのにコロナ恐怖をあおるメディア・ヒステリーのおかげで、人々は過剰なコロナ恐怖心を抱いている」（ブログ「WONDERFUL WORLD」）。

なるほど……。これで腑に落ちた。わたしですらテレビやメディアの〝洗脳〟にはまっていたようだ。スウェーデンは、ちゃんと〝闇の支配者〟の仕掛けた罠を見抜いていた。

「……くり返しますが、コロナは怖くありません。そのことはスウェーデンの実践からもあきらか。逆にスウェーデンの人々は、コロナにさらされることによって一生の免疫がつくでしょう。もちろん、NWO（新世界秩序）側はこの状況を黙ってみているはずはなく、そのうち攻撃されるかもしれませんが……」（同）

ロックダウンは国家による大量殺人

●死者五〇％増の衝撃

「スウェーデンでも、コロナ死者は出ているじゃないか」

こう反論してくる人もいるだろう。

しかし、欧米諸国とスウェーデンとのちがいは、まだある。

他の国では健康と経済の二面で〝死者〟が出ている。

スウェーデンでは、経済の〝死者〟は出ていない。この差は、かぎりなく大きい。

――ロックダウンという名の虐殺――

ネットにショッキングな見出し。

■ロックダウンは国家による大量殺人

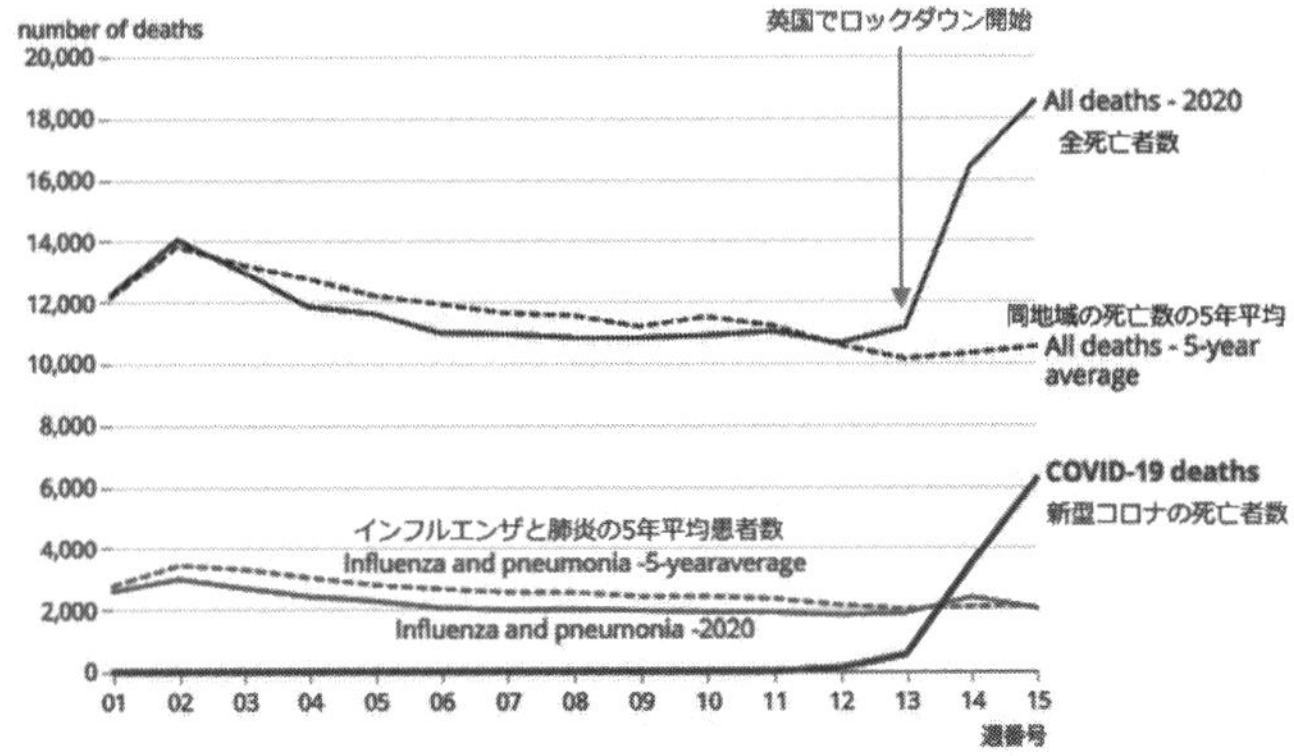

グラフ 3-4　2019 年 12 月 28 日から 2020 年 4 月 10 日までのイングランドおよびウェールズの毎週の死亡者数の推移

出典：https://www.ons.gov.uk

「……英国では、『新型コロナウイルスではない原因』による死者が、封鎖の日から急激に増加している」というおどろくべき告発だ。

英国民は、コロナではなくロックダウンで〝虐殺〟されている……！

「それは、統計開始以来最大の死者数にたっしている。私たちは今、国家による大量殺人という現実を、世界に見ている」（サイト「In Deep」）

示された**グラフ3―4**は、まさにそのとおり。ロックダウンの瞬間から、英国の死亡者数が急上昇している！

●封鎖・閉鎖は人殺し愚策

告発者は叫ぶ。

「これは、国家による大量虐殺だ！」

これはいったいどうしたことか？　ロックダ

■封鎖でコロナ患者の死者も爆発増加！

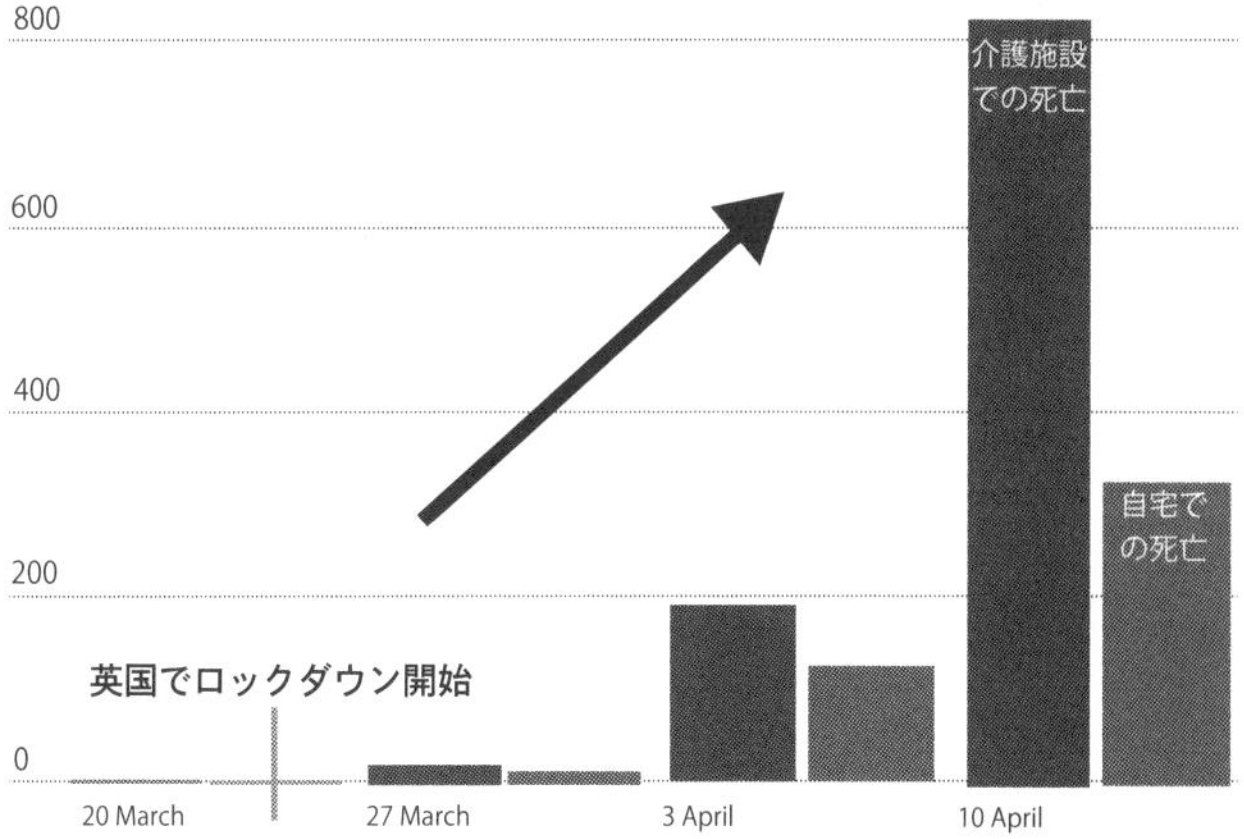

グラフ3-5　英国でのロックダウン開始後からの自宅と介護施設での死亡数の推移
出典：Guardian graphic

ウンは国民の命を守るための断行ではなかったのか？

　しかし、英国人口統計局のデータは真逆だ。

　ロックダウンと同時に国民の死亡率は約五〇％増と劇的に急増している。

　そして、死者全体の六六％以上が、新型コロナウイルスとは無関係の死者だ。

　つまり、コロナであろうとなかろうと、ロックダウンは死者を劇的に増加させた。

　その理由は「隔離、封鎖、孤独」のストレスだ。

「社会的なつながり、コミュニティの接点を失うと死亡率は五〇％上昇する」（米国医学論文）

　こうしてロックダウンは、人々を孤独地獄に追い込み、死亡率を五〇％以上増加させた。命を救う政策が、ぎゃくに命を奪っているのだ。

これも、コロナ騒動のパラドックス。皮肉というしかない。

そうして、ロックダウン・封鎖政策は、コロナ感染者の命まで奪っている（グラフ3―5）。

ロックダウンしたとたんに、コロナ感染者の死者数は、介護施設や自宅で爆発的に増えている。やはり、ロックダウンによる封鎖生活が死期を早めたのだ。

だから、コロナ対策――欧米式vsスウェーデン式――の結論は明白だ。

ロックダウン、都市封鎖、店舗閉鎖……などは、人を殺す愚策なのだ。

スウェーデンに続け！　街に出よう

●日本で42万人死ぬ⁉

スウェーデンの選んだ国策を見ていると、右往左往している日本の姿が哀れに見えてくる。

まさに、児戯《じぎ》にひとしい。

毎日、このクニのテレビ、新聞で報道される「感染者」「死者」の数値も、ほとんど信用できない。これまで述べたように、それらはあきれるほど〝水増し〟されているからだ。

コロナ禍がピークにあったころ、こんな数字が喧伝された。

「新型コロナウイルスで四二万人死ぬ！」

■「42万人死ぬ」は悪質な作り話だ

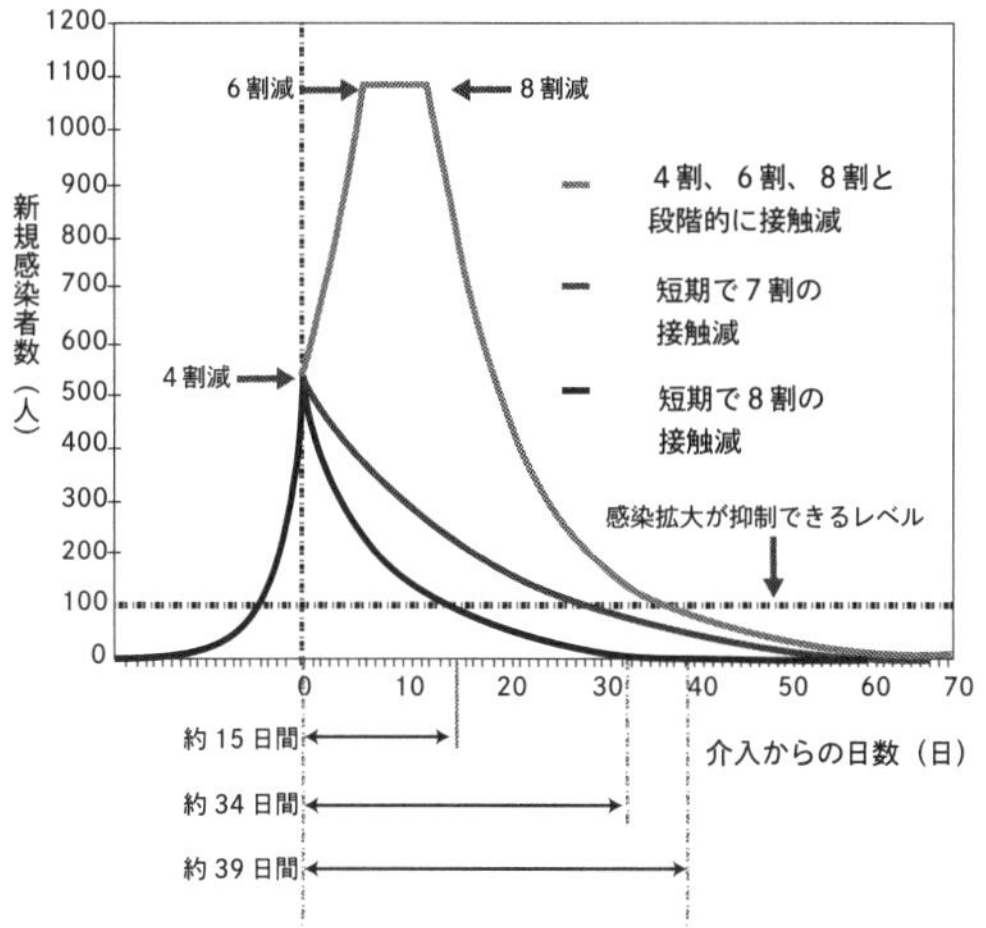

グラフ3-6　厚労省新型コロナ・クラスター対策班のシミュレーション

その予測に、ショックを受けた方も多いでしょう。

「……人と人との接触を八割減らさないと、日本で約四二万人が新型コロナウイルスで死亡する」。これは四月一五日、厚労省新型コロナ・クラスター対策班の西浦博教授（北海道大学）の記者会見での予測。あまりの犠牲者の多さに、マスコミも大騒ぎとなった。

翌日、菅官房長官は「政府の公式見解ではない」と否定した。

では、四二万人死亡説は、正しかったのか？

西浦氏の数字の根拠は、「感染拡大の防止策を実施しなかった場合、重症患者が累計八五万三〇〇〇人となる。その四九％（四一万八〇〇〇名）が死亡する」というシミュレーションである。

四月一五日の「クラスター対策班」のツイッターに、その根拠となるグラフが示された（**グラフ3－6**）。

「……これだと日本の新規感染者数は、これから指数関数的に増え、四月二五日には、（感染者は）毎日一一〇〇人に激増するはずだが、これは（実際の）統計データとは合わない。新規感染者数は、四月一二日をピークに減り始め、一五日には四五五人である（厚労省集計）」（サイト「JB press」）

こうして、すべては彼の予測に反して推移している。

「……ようするに彼のモデルはデータを無視したお話であり、彼の『感染爆発する』という予測は外れっぱなしだった。これらはシミュレーションではなく、フィクション（作り話）なのだ」（同）

しかし、このような冷静な検討はメディアでは行われず、四二万人死ぬ、という言葉が一人歩きした。

●安倍内閣はお子様ランチ

まず――。日本ではＰＣＲ検査が諸外国にくらべてケタ外れに少ない（**グラフ3－7**）。

その立ち遅れぶりには、ただア然とする。

これは、安倍内閣の無能ぶりをクッキリと浮き彫りにしている。公文書偽造という罪まで犯

■ PCR検査の受診率は最低ランクだったが……

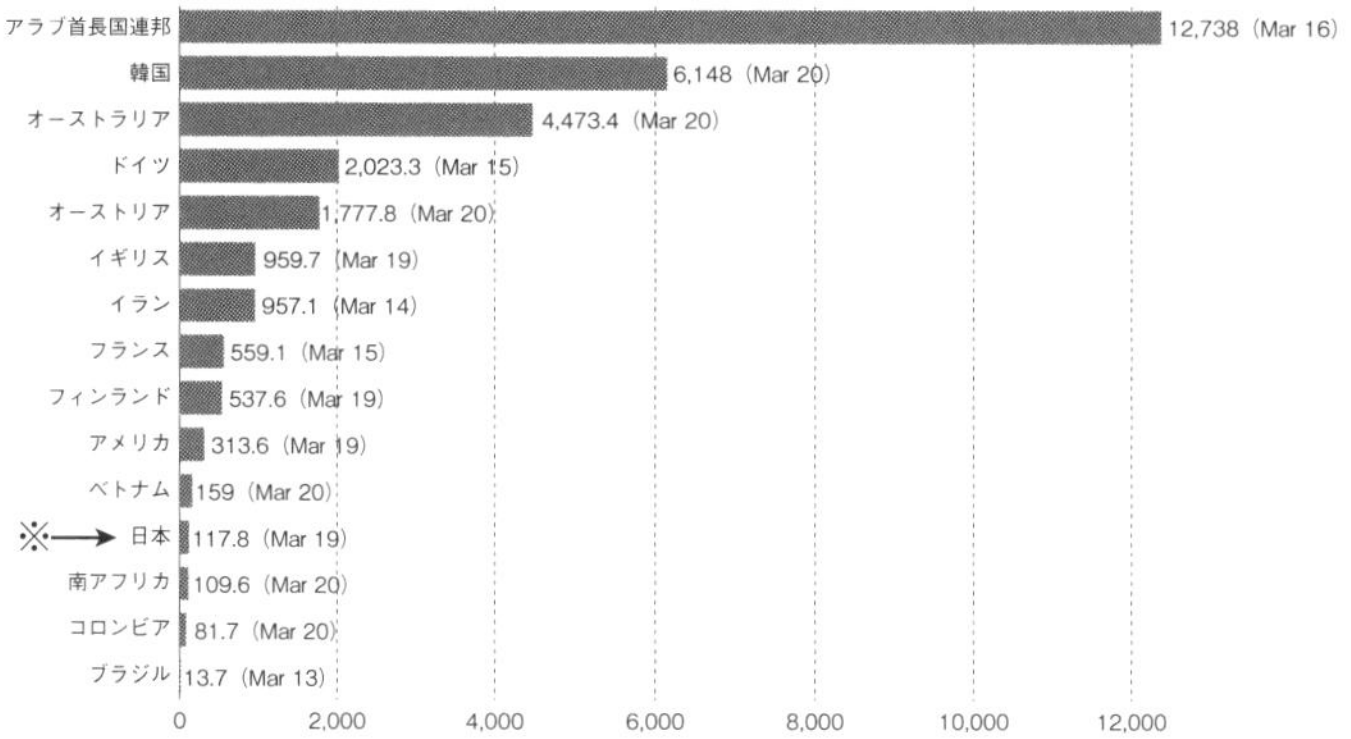

グラフ 3-7　COVID-19の人口100万人あたり検査件数
出典：https://ourworldindata.org

しても居座り続ける。初めから不正選挙で権力を騙し盗った犯罪者集団なのだ。それを、ペテン世論調査で、〝高どまり〟支持率の世論をねつ造した犯罪マスコミが支えている。

心まで腐った政権に、まともなコロナウイルス対策など、できるわけがない。

さて、ＰＣＲ検査だ。

中国、さらに韓国、台湾など真っ先に導入し、迅速な対応で注目された。

ＰＣＲ検査発明者の警告

●ノーベル賞Ｋ・マリスの悔恨

ＰＣＲ検査――。それは、新型コロナウイルス診断の決め手とされる。

中国、台湾、韓国が、水際で感染を食い止めたのも、早期にＰＣＲ検査を全面実施したからだ。

……と、思われていた。

ところが、この検査自体にも、怪しい黒い霧がたちこめている。

「PCR検査は、感染症診断に使ってはいけない」

なんともカゲキなことをいう人がいるものだ、と呆れる。

いったい、誰がこんな非常識なことを言っているのか？　調べておどろいた。

なんと、PCR検査の発明者マリス博士自身が「使ってはいけない」とアピールしているのだ。

■ＰＣＲ検査発明者が「診断に使うな」

写真 3-8　キャリー・マリス博士

そもそも、このPCR検査を考案した研究者はキャリー・マリス医師は、どんな学者か？

（一九四四〜二〇一九年、**写真3−8**）。

惜しくも二〇一九年に他界している。彼はPCR検査を発明した功績によりノーベル化学賞を受賞。その高名な化学者が、自らの発明について、こう言明している。

「PCRをエイズや他の感染症の診断に用いてはならない……」

自ら発明の限界を認めている。だから、悔恨をこめて警告しているのだ。

●ウイルスは検出できない

まず、ＰＣＲ検査は、多くの「偽陽性」をもたらすという。

つまり、全く何の検査もしていないのと同じである。

そして、この検査の「信頼性」をもっとも強く批判していたのは、発明者自身であることは、先に述べたとおりだ。

ＰＣＲ検査の致命的欠陥をドキュメンタリー作家、Ｍ・メンディーザ氏が暴いている。

「ＰＣＲ検査は新型コロナウイルスを検出するのではないのか？」

メンディーザ氏は、ＰＣＲ検査のペテンをバッサリ斬る。

「検査で感染性ウイルス検出はできない」

それはどういうことか？

「検出できるのはＨＩＶなど特有たんぱくのみ。その遺伝配列の一部は検出できる。しかし、ウイルスそのものは検出できない」

つまり、遺伝子のカケラしか検出できない。

だから、体内にコロナウイルスが存在するか否かは、まったく〝わからない〟。

●ＰＣＲ自体がフェイクだ

そんなこと、だれも言っていない！　聞いていない！

メンディーザ氏自身、叫んで、肩をすくめる。

「……ウイルスを特定できないって？　では、どうやってこれらの人々が同じ病気だとわかるのだ？　それも同じ新種の病気（新型コロナ）だって？」

つまりは、ＰＣＲ検査自体がペテンだった……。

「……これらの人々は、コロナ識別のためにＰＣＲ検査を受けたことになっているのだが、しかし、いまだに決定的な（感染の）証拠はない。彼らは、コロナウイルスなど、まったく持っていない可能性もある」（同氏）

このドキュメンタリー作家も、ＰＣＲのデタラメさに呆れる。

「……ＰＣＲは（ウイルスを）分離せず、特定せず、検出さえしない。しかし、ＰＣＲ検査が標準となっている。世界中でコロナウイルス診断の手段となっている。全てのメディア、企業も認めている。しかし、少々の研究が示すところ、ＰＣＲ検査とウイルス病との関係は、もっとも良くいっても理論上でしかない。ただの見積もりだ。患者にエボラやエイズやコロナなどのウイルスがいると科学的にはいえない。メディアや日常化学が、コロナウイルスについては、〝フリ〟をしているだけだ。無差別的に視聴者の頭の中に（ウソを）注ぎ込んでいるのだ」（同氏）

●世界中を騙す壮大なペテン

それでもメディアは、「コロナウイルスを検出！」と大衆の恐怖を煽る。

メンディーザ氏は、このコメディを笑う。

「……マスコミは、カリフォルニアのベイエリアでPCR検査によりCOVID-19の新たな四症例を報道した。これは、FOXのライブで予言されていた。しかし、何も心配はない。（普通の）インフルエンザより深刻ではないのだ。企業メディアのヒステリーが、また煽ったわけだ。何もない所から、〝なにか〟を作り出したわけだな。そして、数日後、これが〝確認済み〟の（コロナ感染）二〇症例になったのだ。サンタクララ市だけでだ！　いったい、どうやって確認したのか？　連中はいわない。誰も知らないのだ」

こうなると、PCR検査じたい、世界中をだます壮大なサギといえまいか。

なんだか、PCR検査を語ることすらばかばかしくなってきた。

PCR検査エラー率八〇％とは……！

●これはもう〝詐欺デミック〟

ならば、毎日、政府やメディアが公表するコロナ感染者や死者は、どうやって〝確認した〟のか？

その数字のおおもとは、ジョンズ・ホプキンズ大学統計による。

しかし、ＰＣＲ検査がデタラメなら、世界のコロナ感染数もデタラメとなる。

アンドリュー・カウフマン医師が、そのウソを暴く。

「……彼らが用いたというＰＣＲ検査は、ウイルスは計測しない。測るのは遺伝子物質のみ、ウイルスではない。検査には正確性で多くの問題がある。ＣＤＣ（米国疫病予防管理センター）ですら（正確でないと）認めています」

つまりＰＣＲ検査は、ウイルス遺伝子のカケラから、存在を〝推測〟しているにすぎない。

この批判に対して、当然、反論もあるだろう。

「不正確でも、ＰＣＲ検査には約七割の〝信頼度〟がある」

メディアもそう報道している。わたしもそう思っていた。

これに対しても、カウフマン医師は明確に断言する。

「コロナ検査のエラー率は八〇％です」

つまり、信頼度は二〇％という極端に低い数値となる。

これでは、ＰＣＲ検査を推進すること自体が狂っている。

●七つのウイルスにも〝陽性〟

カウフマン医師は、エラー率は八〇％の根拠をあげる。

「……新型コロナウイルスPCR検査を行い、二週間、追跡調査をした。そして、病気になるかどうかを観察した。『陰性』と『陽性』の人が、どれだけ発症するか？　彼らが〝発見〟したことは、八〇％の〝偽陽性率〟でした。言いかえれば、検査で『陽性』になった五人のうち四人は、じっさいには、まったく病気ではなかった。これは、大多数ですね。〝偽陽性率〟が五％未満であれば、良い検査といえます。それでも一〇〇人のうち五人は〝病気〟にされてしまいますが……。しかし、八〇％というのは、あまりに不正確です。なにも検査していないのと同じですよ。もし、このPCR検査で米国食品医薬品局（FDA）承認をとろうとすれば、FDAが腐敗していようがいまいが、笑い飛ばされ、ビルから追い出されるでしょうね（笑）」

――ブラックコメディに、またもや喜劇が付け加えられた。

以上の衝撃事実の告発者は、こう警鐘を鳴らす。

「……偽陽性率は八〇％、つまり、何の病気でも無い人がこの検査を受けると五人に四人はコロナ陽性になります。（中略）このPCR検査なるものはデタラメです。受けると、ほとんど誰でもコロナ陽性にされます。絶対に受けてはいけません。」（サイト「字幕大王」）

「PCRキット」注意書き。「コロナの診断・治療に使用不可」「他の七ウイルスも〝陽性〟と出る。インフルエンザA・B型、マイコプラズマ、クラミジア、アデノ……など」とは――。

治療薬、ワクチンで殺される

●薬物療法は諸刃の刃だ

「治療薬を急げ！」「ワクチンを開発せよ！」

マスコミは連日はやしたてる。

巣ごもりで、テレビ、新聞を日長《ひなが》見ていると、そうだ、そうだ……と思ってしまう。

新型コロナウイルスへの特効薬、新薬のニュースがとり沙汰され、視聴者は、コロナに効く特効薬が登場するのを、今か今かと心待ちにしている。

しかし、忘れてはいけない。クスリはすべて原則、毒物だ。

なるほど、「アビガン」などは、初期患者の救命に効果がある……といわれる。

しかし、いっぽうで強い催奇形性が警告されている。

まさに、肉を斬らせて骨を断つようなもの。

ほんらいは、コロナに感染しても発病しない体質、体力を身につけておくことだ。

予防に勝る治療はないのだ。

それなのに、薬物療法だけが治療だと思い込んでいる人が、あまりに多い。

「ファスティング（断食）は、万病を治す妙法である」（ヨガの奥義）

感染症にかかったマウスに強制的に栄養を与える。

すると、同じ感染症のマウスでも、自然に食事しているマウスの二倍も死んでいく。

野生動物は病気や怪我のとき、なにも食べない。すると、治癒力は二倍以上になる。

骨折は一〇倍以上の速さで回復する。

しかし、新型コロナ入院患者には、強制的に点滴で栄養が注入される。

●スペイン風邪とアスピリン

一〇〇年前のスペイン風邪も、原因は第一次大戦に従軍する兵士たちに強制したワクチンだった。それが欧州で、前線の拡大とともに、悪性インフルエンザとなって蔓延したのだ。

その意味でスペイン風邪もまた、新型コロナと同様に人災だ。

さらに人災の地獄を深めたのが、まちがった治療法。スペイン風邪にかかり、発熱した兵士や市民に施された治療は、文字どおり一辺倒だった。

医師たちは、患者に大量の解熱剤アスピリンを投与したのだ。

アスピリンには、致命的な副作用がある。たとえば、スティーブンス・ジョンソン症候群。

発症すると半数は死亡する。体内で免疫が暴走して、高熱で息を引き取る。サイトカイン・ストーム（免疫暴走）だ。

患者はスペイン風邪で死んだのではなく、解熱剤アスピリンの副作用で〝殺された〟のだ。

■"スペイン風邪"は解熱剤で大量死

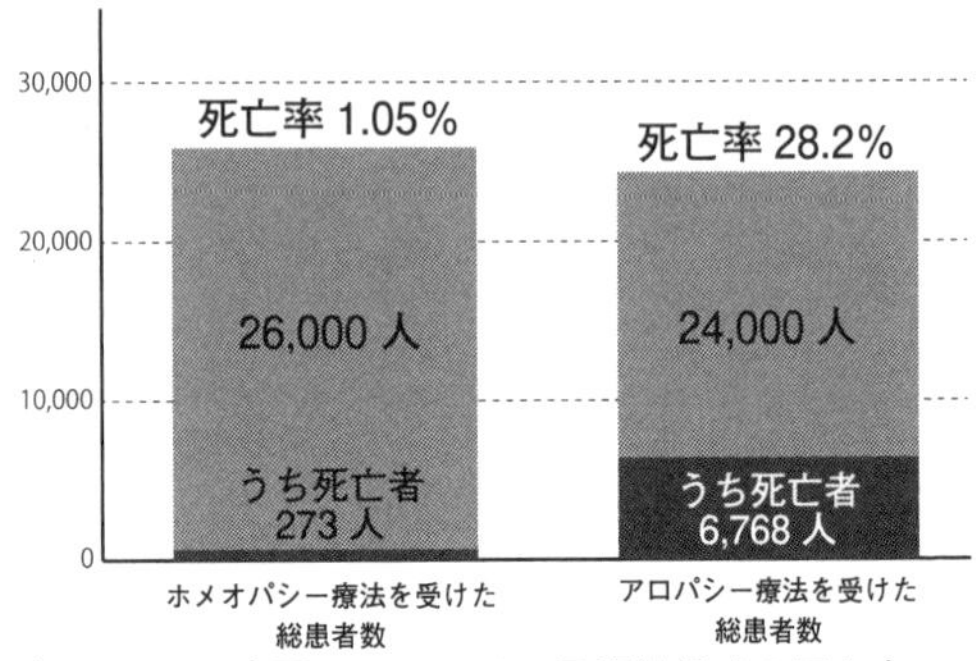

グラフ 3-9　米国でのスペイン風邪流行時の死亡率

その証拠が、ホメオパシーと解熱剤との死者の比較だ。解熱剤投与群は、二五倍近くも死亡している（**グラフ3-9**）。

これでは、本当の死因はスペイン風邪ウイルスでなく、アスピリン副作用による〝薬毒死〟だ。

解熱剤を用いず自然療法に徹すれば、最大一億人という犠牲者は、出さずにすんだはずだ。

●大いなるペテン、ワクチン幻想

人びとはメディア〝洗脳〟で「ワクチンさえ開発されれば……」と期待を膨らませている。

ワクチン幻想である（参照前出『ワクチンの罠』）。

そもそも、ワクチンの開祖エドワード・ジェンナーからして、ペテン師といってよい。

ときの英国政府は、巨額の賞金をジェンナーに施し、種痘を国策として全国民に強制した。拒否すると刑務所に収容。異常な強制政策だ。

すると、なにが起こったか？　なんと、天然痘が爆発的に流行したのだ。

■ワクチンは感染予防した証拠はない

グラフ 3-10　伝染病死亡とワクチンの関係

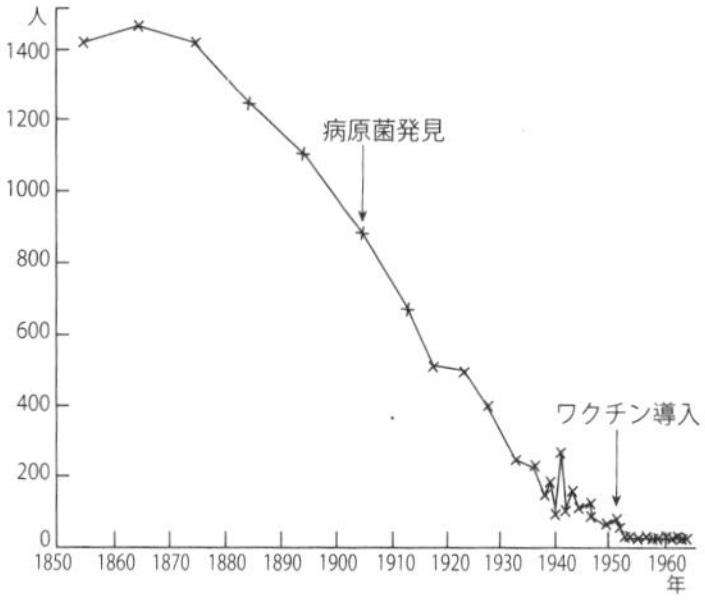

英国での子どもの百日咳死亡率
出典：『The role of medicine』Basil Blackwell, 1979

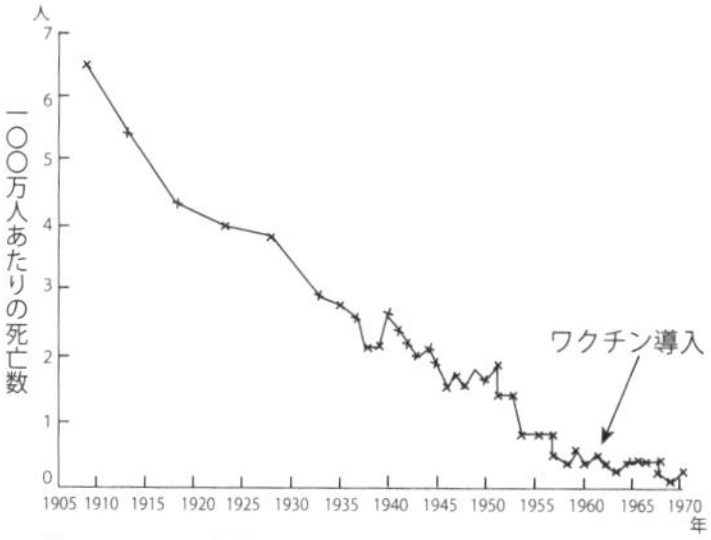

英国での破傷風の死亡率
出　典：『The role of medicine』Basil Blackwell, 1979

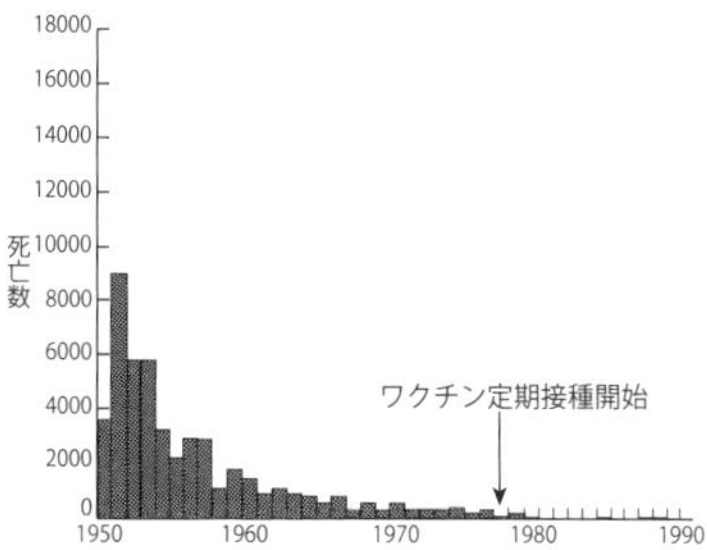

日本での麻しんの死亡
出典：国立感染症研究所感染症情報センター

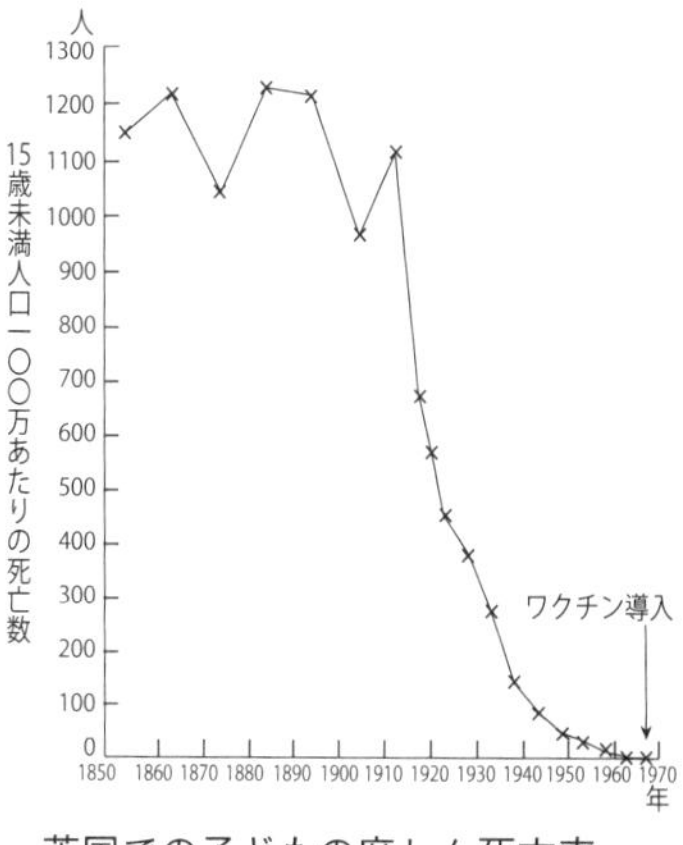

英国での子どもの麻しん死亡率
出　典：『The role of medicine』Basil Blackwell, 1979

ワクチン政策は、最初から狂気に満ちていた。その強行の背景に、私はロスチャイルド財閥の影を見る。当主マイヤー・アムシェル・ロスチャイルドは、そこに巨大な医療利権を見たはずだ。

わたしは、「ワクチンの本質は生物兵器である」と断じる警世の書を問うている。

そもそも、「ワクチンが伝染病を防いだ」という客観的な証拠は皆無だ。

しかし、「伝染病を防げない」という証拠は、数限りなくある（グラフ3−10）。

これら証拠を目に焼き付けて、あなたのワクチン幻想から目を覚ましてもらいたい。

郵 便 は が き

料金受取人払郵便

神田局承認

1108

差出有効期間
2022年 9 月30
日まで

101－8791

507

東京都千代田区西神田
2-5-11出版輸送ビル2F

共栄書房 行

お名前《ふりがな》 お電話
ご住所（〒　　　　　　　　） （送り先）

◎新しい読者をご紹介ください。

お名前 お電話
ご住所（〒　　　　　　　　）

愛読者カード

このたびは小社の本をお買い上げ頂き、ありがとうございます。今後の企画の参考とさせて頂きますのでお手数ですが、ご記入の上お送り下さい。

書 名

本書についてのご感想をお聞かせ下さい。また、今後の出版物についてのご意見などを、お寄せ下さい。

◎購読注文書◎

ご注文日　　　年　　月　　日

書　名	冊　数

代金は本の発送の際、振替用紙を同封いたしますのでそちらにてお支払い下さい。
なおご注文は FAX 03-3239-8272
また、共栄書房オンラインショップ https://kyoeishobo.thebase.in/
でも受け付けております。（送料無料）

第二部

密かに進む5G、監視・洗脳〝家畜社会〟へ

――林立するアンテナ群、あなたも子どもも逃げ場なし

第4章　発ガン、奇形、テロ、暴動……狙いは人間破壊だ
――コロナと連動、5Gで人類〝家畜化〟計画

人類は〝電磁波の海〟に溺れている（ベッカー博士）

●コロナと5Gに共通するもの

いま、世界各国で次世代通信規格「5G」の導入が進んでいる。

それは、人類を〝素晴らしい未来〟へと導いていく――と喧伝されている。

無知な人間にとっては、一見、目の眩む理想郷（ユートピア）に見える。

しかし、めざめた人間にとっては、目まいのする絶望郷（ディストピア）でしかない。

コロナと5Gは、両輪の車である――こういうと、その唐突さにいぶかるひとも多いだろう。

夢の次世代通信規格とされる5Gと、世界中を混乱におとしいれている新型コロナウイルス。

何の関係があるのか？

しかし、これまで述べてきたように、新型コロナウイルスの正体とその背後にある〝闇の支

配〟をかんがえれば、この二つは同じ目的のもとに生み出されたものといえる。

つまり――

コロナの正体は人類を攻撃する生物兵器だ。

5Gの正体は、人類を攻撃する電磁兵器だ。

なぜ、電磁波が兵器になるのか？　それは、電磁波が生命に有害だからだ。

「……異常な人工電磁波は、周波数に関係なくすべて有害である」

電磁生体学の世界的権威ロバート・ベッカー博士（ニューヨーク州立大学医学部）の有名な言葉である（参照『クロスカレント――電磁波複合被曝の恐怖』新森書房、拙訳）。

●正義の学者R・ベッカー

ちなみに博士は、その研究業績で二度、ノーベル生理・医学賞にノミネートされている。

受賞が叶わなかったのは、その反骨精神の故だ。

わたしは同書を翻訳するとき、博士の何者も恐れない正義感に感服した。

彼は、アメリカ軍部が計画していた電磁波通信ネットワーク構想に、たった一人で反対した。

これは、深海に潜む原子力潜水艦とワシントンDCをつなぐ無線システム「サングィン計画」

■「人工的な異常電磁波は全て危険だ」

写真 4-1　ロバート・ベッカー博士

だ。

博士は、全米に林立する通信アンテナから放射される電磁波の有害性を警告。公聴会で、真っ向から反対の陳述を行った。

「……アメリカ国民の生命と財産を守るべき軍部が、国民の生命と財産を損なおうとしている。断じて許すわけにはいかない」

博士の一歩も引かぬ気迫と科学的な証拠を前に、ペンタゴン（米国防総省）は絶句して立ちすくんだ。そうして、このアメリカ国民を危機に陥れかねなかった無謀な計画は中止に追い込まれた。

わたしは公聴会での証言を想像して、感動に身がふるえた。

ここにこそ、真実を貫く真の科学者がいる。

「……5G通信の導入により、気象予測の精度が約三〇％低下する。そして、一九八〇年代レベルに逆戻りするかもしれない」

これは、NOAA（米海洋大気局）やNASA（米航空宇宙局）などの研究者たちの懸念である。その理由は、アメリカ政府が、5G通信の帯域として二四GHz（ギガヘルツ）を割り当てたからだ。FCC（連邦通信委員会）は、二〇一九年三月に5G業者のオークション（入札）を計画していた。これに対し、NOAA、NASAが公式に懸念を表明したのだ。

●同じ二四GHzで干渉

両者とも、気象と宇宙を管轄する優秀な科学者たちの集団である。

その科学者たちが、5Gが気象予測を狂わせる……と、FCCに正式に抗議している。

その理由は——。

「……両局とも気象衛星によって大気の状況を把握している。衛星に搭載されている『高性能マイクロ・サウンダ（AMSU）』というセンサーは、二三・六〜二四GHzの帯域で水蒸気を観測している。ところが、この帯域マイクロ波が、5G通信に割り当てられようとしている。5G通信が開始されると、二四GHz帯が干渉する危険性がある」

ナルホド……。思いもかけぬことが起こるものだ。

「……5G運用が始まれば、気象衛星のデータ収集と送信が大幅に妨害される恐れがある」（NOAA、NASA共同声明）

この抗議に対してFCCは、「技術的根拠がない」とつっぱねて強行突破。二四GHz帯オークションは予定通り実施され、T-モバイルなどが電波ライセンスを獲得した。

巨大ビジネス利権の前に、国家による科学観測が圧殺されたのだ。

世界の気象学者は、こう落胆している。

「……科学が社会圧力に屈する歴史がくりかえされている。心配であり落胆している」

現代人の難病を起こす〝電磁波の海〟

●難病・奇病増はなぜ？

「……最近、つい数年前までは、まったく知られていなかったような病気が、次から次へと出現している。すでに征服してしまったはずの病気が、再び増加している。さらに、私たちは、新しいタイプの難病の出現に直面している。例えば、アルツハイマー痴ほう症、先天異常などといった、これまであまり注目されなかった難病である」（ベッカー博士）

まさに、博士のいうとおり。身のまわりを見回しても、奇病、難病だらけ。親戚、知人、友人……病人でない者を探すのが困難なほどだ。

みんな、どこか病気持ちだ。クスリを飲んでいない友人のほうが珍しい。

日本は病人、半病人だらけだ。

ベッカー博士は、難病・奇病増大の背景に、電磁波の濫用がある……という。

「……人類が電磁波を使用することによって、地球レベルの環境変化がもたらされた。人工的な電磁波は、人間をはじめとするすべての生命に影響を与える」（ベッカー博士）

これだけではない。目に見えない微生物も、同様に電磁波の影響を受ける。

「……さらに、ウイルスが、今まで地球に存在しなかった新しいエネルギーにさらされることになった。この相互作用が、新しい病気や、以前からあった多くの病気における、予想されなかった変化の真の原因である」（同）

つまり、今までなかった電磁波という異常が、ウイルスなどに「相互作用」し、新たな異常を発生させている。

それに加えて、人類は遺伝子組替えなどという〝異常技術〟を手に入れてしまった。

ここからエイズや新型コロナウイルスなど、新たな異常が次々に出現している。

「……何もないところから突如として発生する新しい病気は、すでに存在していた細菌やウイルスの病原性に関する遺伝子が突然変異することによって生じると考えるのが、普通の理論の立場だ。しかし、もう一つの可能性がかんがえられる。それは、病原体が変化するのではない。それまでは、病原性がなかったような細菌やウイルスに対する人間の抵抗力が弱くなることによって、新しい病気が発生する、という考えである」（ベッカー博士）

――あらゆる病気は、病気の原因となるものと患者の身体状態の、相互関係の結果起きる――

――（「医聖」ヒポクラテス）

新型コロナもそうだ。原因はコロナウイルスだけではない。

免疫力の低下など、患者の身体状態もやはり、原因なのである。

●電磁波一〇大有害性

ベッカー博士は具体的に、電磁波の一〇の有害性をあげる。

①成長細胞損傷、②発ガン性、③ガン促進、④催奇形性、⑤神経ホルモン異常、⑥自殺・異常行動、⑦生理リズム破壊、⑧ストレス反応、⑨免疫力低下、⑩学習能力低下

あなたは目を疑い、耳を疑うだろう。「初めて知った！」。当然である。

これらは、絶対に口にしていけないタブーなのだ。だから、学校でも教えない。

新聞も活字にできない。NHKアナウンサーも言えない。

ナイナイづくしの世界にあなたは、あなたの家族は住んでいるのである。

これら電磁波の有害性は、大学医学部の教授ですらまったく知らない。

なぜなら、医学の教科書に一行も書かれていないからだ。

これが活字になったのは、わたしが翻訳したベッカー博士の著書『クロスカレント』（前出）のみだ。

電磁波の害……謎を解く〝サイクロトロン共鳴〟

●イオン粒子が飛び去る

電磁波は、なぜ生体に有害なのか？

ベッカー博士は、明快にそれを解明している。

それが、〝サイクロトロン共鳴〟（図4−2）。

電磁波とは、見えない電気と磁気のエネルギーの波。それは、直角に交差して進みます。その速さは光と同じです。なぜなら、光も電磁波の一種だからです。

われわれの住んでいる地球も巨大な磁石です。だから、コンパス（方位磁石）は北と南を指すのです。つまり、地球の表面には、磁場が存在します。それが、「地磁気」です。

原子は、原子核と電子で構成されます。電子は電気（マイナス電荷）をおびています。だから、電子をもらうと原子はマイナスに帯電します。失うとプラスの電気をおびます。

これが、イオン粒子です。

イオン粒子が電磁波を浴びると、どうなるでしょう？

イオン粒子は、電磁波のエネルギーを吸収して、回転運動を始めます。つまり、見えない電磁波エネルギーがイオン粒子に吸収されて、目に見える物理運動に転換されたのです。

■“サイクロトロン共鳴”謎は解けた

（図A）

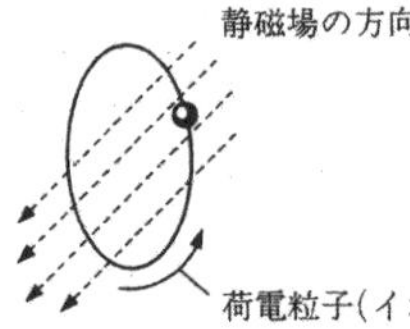

静磁場と直角方向に回転運動する荷電粒子。磁場強度が強まれば、旋回スピードも速くなる。

（図B）

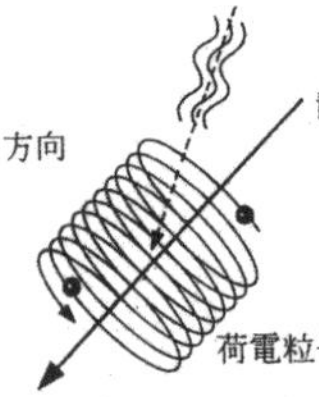

周波数90以下で共鳴する電磁波を静磁場に当てることで発生したラセン運動。

（図C）

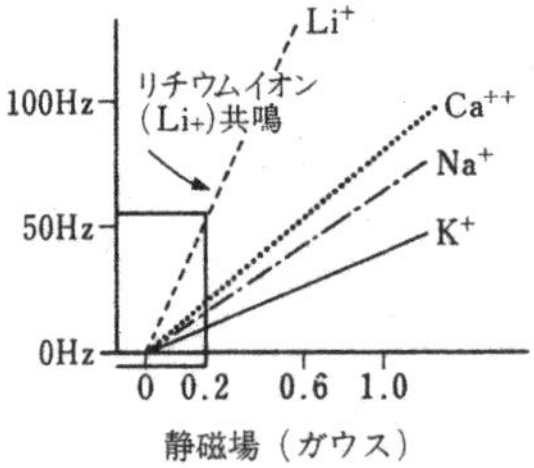

静磁場の強さ（横軸）と、生体に重要なイオンに「サイクロトロン共鳴」を発生させるために必要な振動電場の周波数（縦軸）との関係。
（リボフらの実験）　（『クロスカレント』前出より）

図4-2　サイクロトロン共鳴現象の原理

この電磁波の照射エネルギーの角度が変わると、イオン粒子の回転運動は、ラセン運動となります。そうしてイオン粒子は、どこかへ〝飛び去る〟のです。

●DNA破壊メカニズム

このサイクロトロン共鳴を知れば、電磁波の害のすべてが理解できます。

ベッカー博士があげた一〇大有害性も、根本はこのサイクロトロン共鳴から発しています。

では――。そのひとつ、発ガン性から説明しましょう。

電磁波を浴びると、どうしてガンになるのか？

遺伝子DNAは、二重のラセン構造になっています。その間を四種類の塩基が、ちょうどハシゴのように連結しています。細胞分裂のとき、DNAも二つに別れて再結合します。

こうして一つの細胞は二つになり、一つのDNAも二つになるのです。

ハシゴ段にあたる塩基は、電気的に〝ハシゴ棒〟とつながっています。

つまり、イオン結合です。

DNAが二つに分離して、〝ハシゴ段〟が再度、元の位置にくっつこうとしているとき、電磁波を浴びたらどうなるでしょう？

塩基イオンは電磁波の波動エネルギーを吸収して、回転し始めます。

角度によってはらせん運動を起こします。つまり、振動で揺すられる……。

これは、ハシゴ棒の元の位置に糊《のり》で接着しようとしていたとき、突然、地震におそわれるようなもの。ハシゴ段はハシゴ棒の、とんでもない位置にくっついてしまう。

DNAでいえば、遺伝子が損傷、破壊されるのです。

つまり、遺伝子情報が電磁波によって破壊された。

電磁波でガン、奇形、難病、奇病が発生するのも、あたりまえです。

電磁波は、生体細胞を破壊する

●イオンが細胞膜突破

サイクロトロン共鳴は、遺伝子を破壊するだけではありません。

人体の約八〇%は水分です。体全体は、体液によって満たされています。

わたしたちの体を構成する物質は、その体液に〝溶けた〟状態で存在します。

〝溶けた〟状態とは——つまり、ほとんどイオン化した状態で存在している。

そこに電磁波を照射される。

すると、これらイオン化した物質は、そのエネルギーを吸収して振動します。

たとえば、実験動物で脳細胞に電磁波を照射する。すると、奇妙な現象が起こります。

細胞からカルシウムイオンが流出するのです。これは、カルシウムイオンが電磁波エネルギーを吸収し、ラセン運動を起こして、細胞膜を突き破ってしまったのです。

カルシウムだけではない。人体を構成するあらゆるミネラル・イオンが、電磁波エネルギーを吸収して、細胞膜を突き抜けます。つまり、電磁波は、生体細胞を破壊する。

これで、電磁波の生体障害のメカニズムがご理解いただけたと思います。

●安全基準一ミリガウス

電磁波がＤＮＡを破壊するのは、まず細胞分裂のときです。

だから、細胞分裂が活発な胎児、幼児、子どもが、もっとも電磁波の害を受けます。

さらに、成長中の細胞もダメージを受けます。だから電磁波は、発ガン性（イニシエーター）と同時に、ガン促進（プロモーター）の側面もあわせ持つのです。

ベッカー博士は、電磁波の安全基準（ガイドライン）も提唱しています。

博士は、身のまわりの電気製品から出る電磁波（低周波）は一ミリガウス（ｍＧ）。居住地域は〇・一ｍＧとしています。

さらに、放送や携帯に使用される電波（高周波）は〇・一ｍＷ／㎠としています。

しかし、博士は注意をうながします。

「……これ以下なら安全というのではない。電磁波のベネフィット（利便）とリスク（危険）を考慮した妥協値です」

■わずか4mG以上で小児ガン五倍超

ガンの種類	磁場強度	増加率（倍）
①白血病	1mG 以上	1.0
	2.5mG 以上	1.5
	4mG 以上	6.0
②中枢神経腫瘍	1mG 以上	1.0
	2.5mG 以上	1.0
	4mG 以上	6.0
③悪性リンパ腫	1mG 以上	5.0
	2.5mG 以上	5.0
	4mG 以上	5.0
3腫瘍合計	1mG 以上	1.4
	2.5mG 以上	1.5
	4mG 以上	5.6

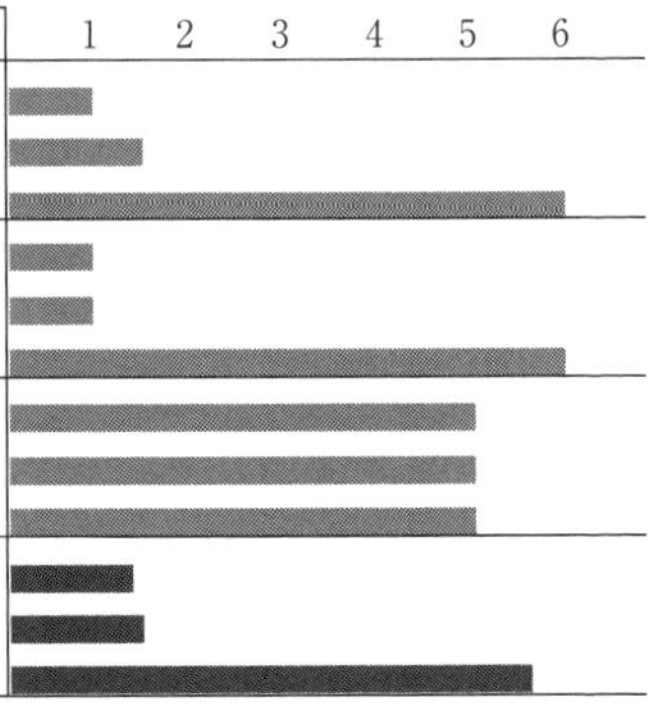

図4-3　送電線の磁場強度と小児ガンの増加率
オルセン博士ら（1993年）
出典：『あぶない電磁波！』（三一新書）

わたしは、国際電話で博士に直接取材しました。

彼は、はっきり明言しています。

「……三〜四ミリガウスになっただけで、子どもにガンが発生しています。だから、電磁波の害は深刻なのです」

高圧線の下に住むな！　引っ越せ！

●一〇mG！　すぐに引っ越せ

このベッカー博士の懸念を証明するのが「ノルデック報告」。スウェーデンなど北欧三か国の合同研究です。

送電線の磁場強度が四ミリガウスを超えただけで、子どものガン全体が五・六倍に急増しています（図4-3）。

電磁波被ばくでもっとも危険なのは、送電線からの電磁波です。これは、二四時間逃れることができません。

ちなみに、日本の風景では民家の屋根の上に送電線が通っているのがあたりまえですが、これは、世界ではじつに危険極まりない風景です。

たとえば旧ソ連では、送電線の両側一キロ以内は、あらゆる建造物は禁止でした。旧ソ連の科学者たちは送電線から発ガン性など危険な電磁波が放射されることを熟知していたのです。じっさい、送電線に近づくほど子どものガンは多発しています。

ベッカー博士はこう警告します。

「屋根の上に高圧線が見えて、室内で一〇ミリガウス以上計測したなら、とるべき行動はただ一つ。すぐに引っ越しなさい。子どもには危険すぎます」

●距離、強度、時間……

電磁波は、発生源から遠ざかると急減します。

それは、ほぼ距離の二乗に反比例します。一〇㎝の位置から一ｍまで離れる。

すると一〇分の一×一〇分の一で、電磁波の強さは一〇〇分の一になります。

だから、むやみに恐れることはないのです。

電磁波の被害を防ぐ方法は、**①距離を遠く**、**②強度を弱く**、**③時間を短く**、の三点です。

しかし家の周囲に高圧線があるばあいは、三点とも不可能です。

■電磁波毛布、電気技師の子供も悲劇

電気毛布の使用状況	増加率（倍）
1～59時間使用	1.9
60時間以上使用	6.2
妊娠初期3か月に使用	10.0

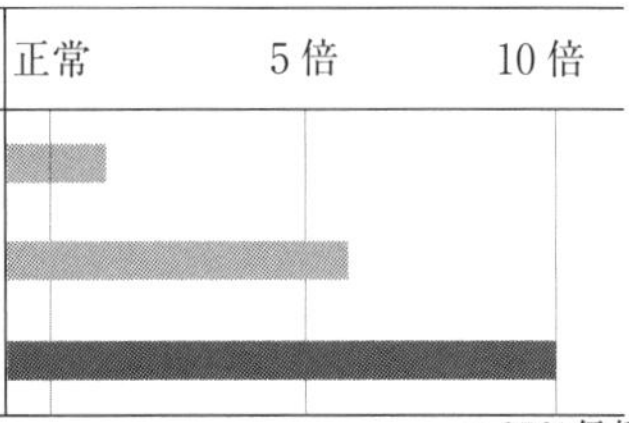

図4-4　電気毛布を長く使うほど胎児に先天異常が増える　＊95%信頼範囲
出典：『エピデミオロジー』1995年9月、デクン・リー論文

父親の職業	平均危険率（倍）
	通常（1.0）
有機化学工員	3.17
電気器具販売員	2.14
電気器具修理工	2.13
電気技師・電気工	11.75

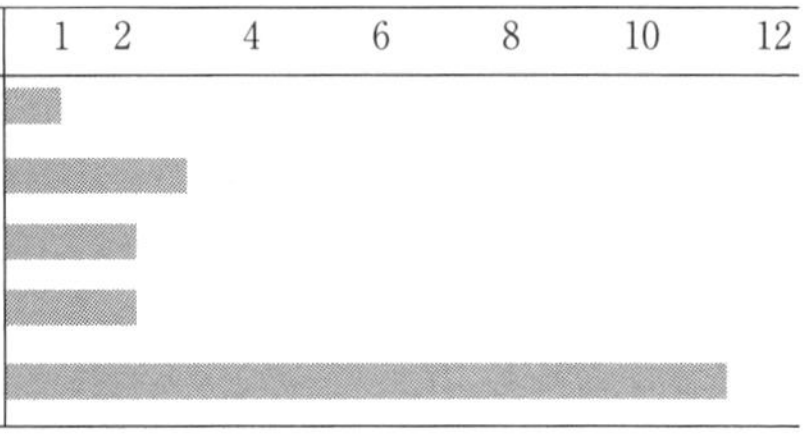

図4-5　父親の電磁波被ばくと子どもの神経芽細胞しゅよう
出典：スピッツ論文の要約、1985年

だから、引っ越しなさい。子どもが真っ先にやられます。政府も電力会社も、その危険性は絶対に教えてくれません。責任もとりません。

家電製品も、この三点からチェックします。もっとも危険なのが、電気毛布、ホットカーペットです。

これらは三点でアウトです。

海外では悲劇も多発しています。

妊娠初期に電気毛布をつかった妊婦が先天異常児を出産するリスクは一〇倍です（図4－4）。

父親から子どもにリスクは〝遺伝〟します。電気技師の父親から生まれた子どもに脳しゅようなどの発症リスクは一二倍です（図4－5）。

ガラケー3Gでも、一〇年で脳しゅよう五倍！

●耳に当てるな！　離せ

ケータイを耳にあてて話す――すぐにやめなさい。脳をマイクロ波が直撃します。二時間通話しただけで、脳細胞DNAの六〇%が破壊されます（ワシントン大、H・ライ博士ら）。まさに、電子レンジに頭をつっこんだようなものです。

■3Gでも10年で脳しゅようが5倍

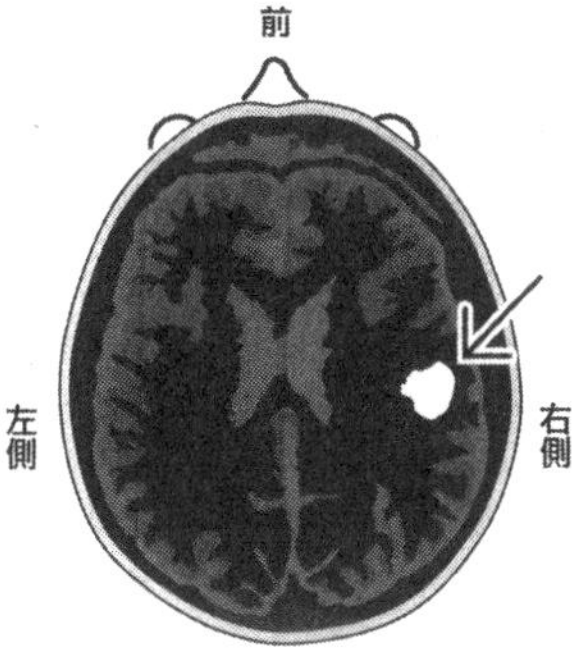

図4-6　ユーザーのX線写真を図に描いたもの。右側の白い円がガン。

出典：『ケータイで脳しゅよう』（三五館）

スウェーデンの研究では、一〇年間携帯電話を右耳に当てて使っていると、右側の脳に、脳しゅようが五倍発症します（二〇代）（**図4-6**）。

ケータイの電波をわずか二〇分間照射しただけで、ヒトの体細胞は変形するのです（北海道工業大学、木村主幸助教授）。さらに、マイクロ波強度を強くするほど、細胞の突然変異も急増します（同）。

動物実験（ショウジョウバエ）でも、電磁波強度に比例して奇形が増加しています。DNAがそれだけ壊されているのです（**グラフ4-7**）。

■電磁波にはDNA破壊の突然変異性

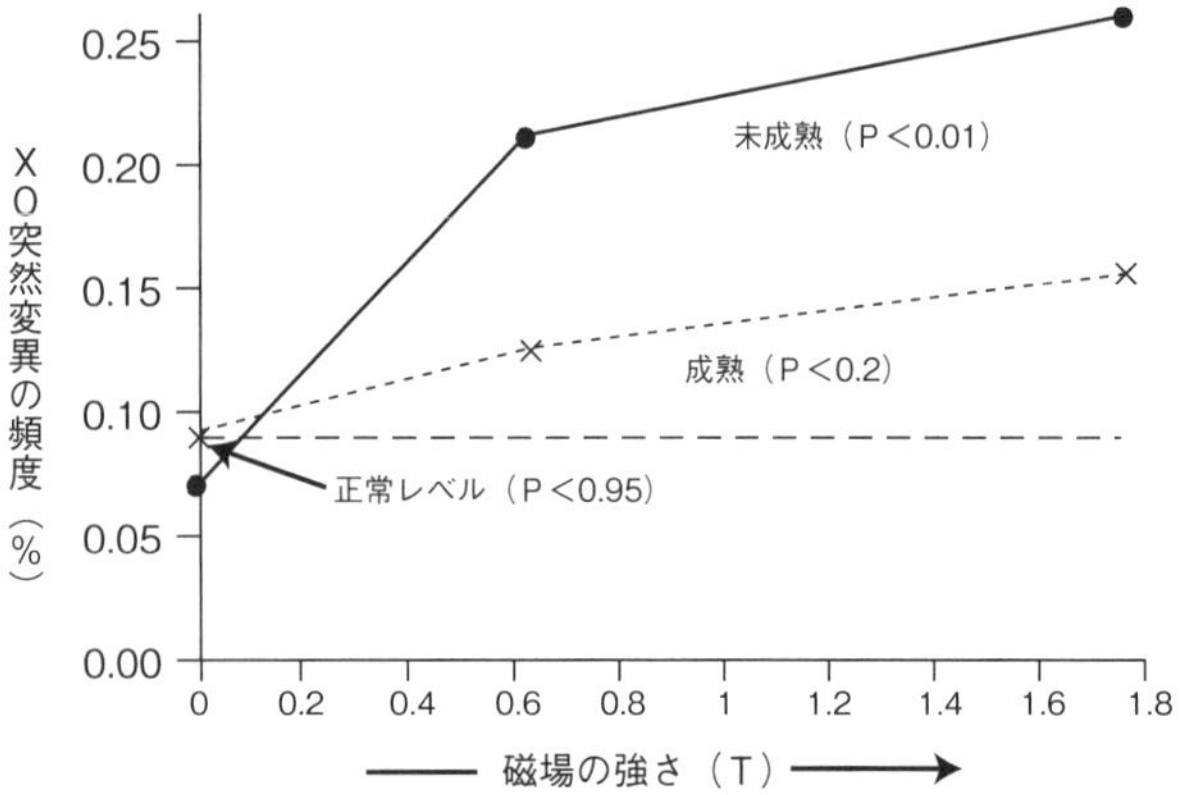

グラフ4-7　雄キイロショウジョウバエのXO突然変異発生率に対する磁場の影響（Levengood 203）

出典：Levengood, W.C.:Int.J.Biometeor.31:185-190(1987)

このように、マイクロ波の生体障害は強烈です。脳に腫瘍ができるのも、とうぜんです。

●子どもにスマホは厳禁

それだけではない。ケータイ使用中に、「頭痛」「めまい」「疲労」「熱感」などの異常を感じます。これがケータイ症候群です。

これら症状は、使用時間に比例して増加しています。だから、携帯電話が原因なのは明白です。これら不調・不快は、のちの脳しゅようなど深刻な被害のまえぶれです。

写真4-8は、携帯電話のマイクロ波が、脳に侵入する範囲を示します。

5歳児と大人……明らかに異なります。子どもは頭がい骨が柔らかく、大人の五倍もマイクロ波のダメージを受けるのです。

だから、子どもにスマホを持たせるなど狂

■子どもの脳はマイクロ波をも吸収する

写真 4-8

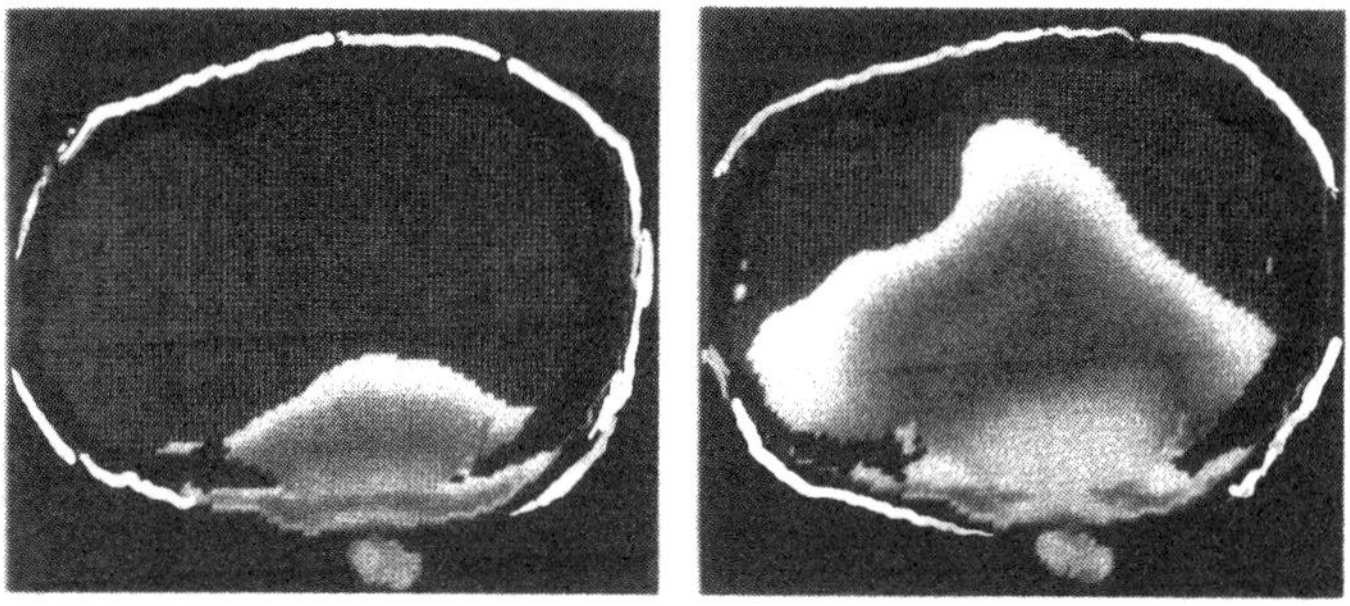

おとなの脳のモデル　　5歳児の脳のモデル

注：Om P. Gandhi et al., "Electromagnetic Absorption in the Human Head and Neck for Mobile Telephones at 835 and 1900 MHz".
出典：*IEEE Trasaction on Microwave Theory and Techniques,* Vol.44, No.10, Oct., 1996.

気の沙汰です。

イギリス、フランス、インド、ロシアなどは、子どもにケータイは禁止です。

ここでも、子どもを大切にする国／しない国が、はっきり分かれます。

●パルス波はさらに危険

いわゆるガラケーは、3Gです。それでも、若者に脳しゅようがこれだけ発生する。

「……3Gは、旧式の2Gに比べてDNA切断割合は一〇倍多い」（D・デイヴィス著『携帯電話隠された真実』東洋経済新報社）

つまり、携帯も世代（G）が新しくなるごとに、一〇倍規模で危険性もアップしている……。

スマホは4Gです。3Gとの違いは、デジタル波です。アナログは、音波と同じ波形の電波ですが、デジタルは、音を階段状に刻んで送信します。

■デジタル・スパイク波は10倍危険

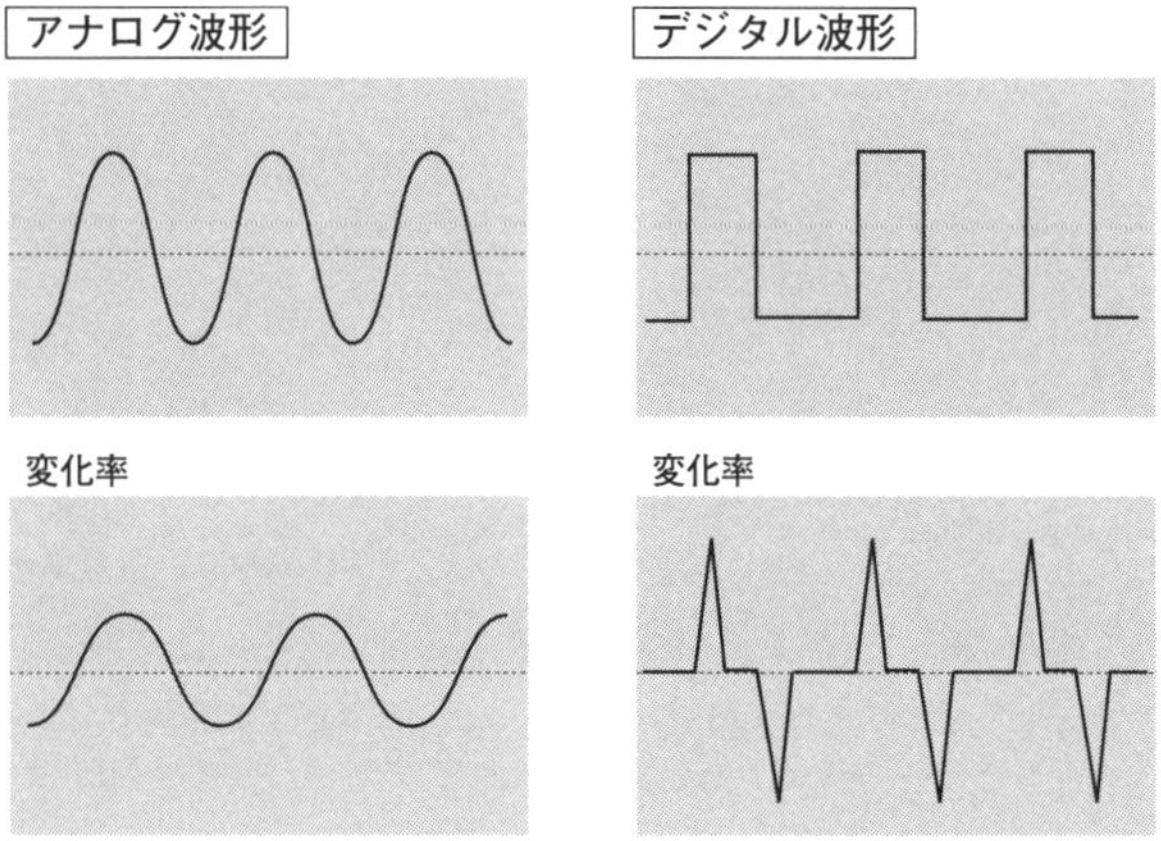

図4-9　アナログ（連続）波形とデジタル（パルス）波形の変化率

そしてデジタルのほうが大量に情報を送信できます。

しかし、同じ強度でも、生体障害は、デジタル波のほうが一〇倍強いそうです（荻野晃也博士）（図4-9）。

5Gは、パルス波を用います。

これは、キリのように尖った波形です。

生体障害は、さらに強く激しくなります。

加えて、5Gの電波強度は4Gの一〇倍とケタはずれ。パルス波×強度一〇倍……危険度は天井知らずです。

●中継塔電波もヤバい

また、ケータイ中継塔から発信されるマイクロ波も、とうぜん危険です。

以下、世界の被害例です（詳細は拙著『新版ショック！やっぱりあぶない電磁波』花伝社）。

▼自殺：高圧線近くでは、四割増加。
▼心臓マヒ：カエルの心臓九割が止まった。
▼ダウン症：電波塔林立の街では一〇倍。
▼放送タワー：五〇〇m以内で白血病九倍。
▼白血病死：〝鉄塔の街〟門真市は一五〇倍。
▼乳児突然死：電磁波で三倍に激増する。
▼IH調理器：普通に使って流産五・七倍。
▼アルツハイマー：電動ミシンで七倍発症。
▼パソコン：側で育ったマウス奇形が五倍。
▼発電所：脳腫瘍一二倍、白血病三八倍。

見えない5Gマイクロ波が家族を襲う

●街中にアンテナ林立

5Gが導入されたら、街の風景はどうなるでしょう？　具体的に図示してみました（図4－10）。

5Gに用いられる電波は、ギガヘルツ（GHz）と呼ばれる周波数帯です。

■5G普及の未来図、もう逃げ場なし

図 4-10

これはちょうど電子レンジと同じ周波数。

波長もミリ単位と短い。

電磁波は波長が短くなるほど、光線に近くなります。つまり、直進性が強くなる。

すると、障害物にさえぎられる。

これが、5G電波の致命的欠点なのです。

その5G電波を携帯電話ユーザーに届ける。

そのためには、アンテナの数を増やすしかない。

推進側データによれば、数十mから一〇〇mおきにアンテナ設置が必要になるという。

だから、電信柱、公衆電話ボックス、ビル窓枠……さらにはマンホールにまで、アンテナ設置工事が行われる。

この基地局は「ピザの箱」サイズだという。

地域を束ねる巨大基地局から、通信情報はこの「ピザ箱」に光ファイバーで届けられる。

この「ピザ箱」にはとうぜん、電源コードも接続される。

こうして、5Gが普及すると、あなたの住む街はアンテナで埋め尽くされる。まるで、生け花の剣山のなかで暮らすようなもの。あなたにも、あなたの子どもにも、逃げ場はない。

●5G反対が世界の潮流

海外では5G導入と同時に、道路の並木が次々と伐採されています。

5G電波の邪魔になるからだそうです。

そうして、5G試験電波を発信した直後に、公園のムクドリはバタバタと大量死し、牧場の牛はつぎつぎに倒れていった。

それだけではない。オーストリアのウィーン空港では、5G運用の途端に、子どもたちは鼻血を出し、吐き気、おう吐などの症状におそわれた（207ページ参照）。

世界中で市民が5G反対に立ち上がるのは、とうぜんです。

しかし、日本だけは相変わらずカヤの外。天下泰平、極楽トンボ……。

ここまで無知モーマイな国民もめずらしい。

「テレビで5Gが危ないなんて言ってないよ」「新聞にはそんなこと書いてない」

もはや、付けるクスリはありません。
・・・・・・消される情報こそ、真実なのです。

■電波塔に近づくほど白血病死は急増

ガンの種類	死亡者	ケース数（人）	1　2　3（増加率）
脳しゅよう	0.73	30	
全白血病	2.32	59	
リンパ性白血病	2.74	39	
骨髄性白血病	1.77	11	
他の白血病	1.45	9	

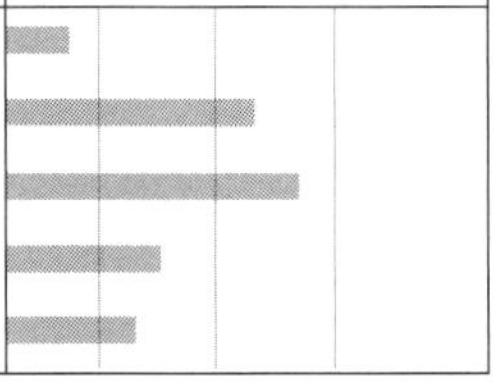

図 4-11　ホッキング論文の疫学調査結果　（0～14歳の子どもの場合）

出典：『あぶない電磁波！』（三一新書）

日本の電波は一〇〇万倍も危険だ

●電波で白血病二・七四倍

電磁波には二種類ある。低周波と高周波だ。

前者は、家電製品などから発生する。

後者は、放送タワーなどから発信される。

だから、電波は高周波の一種である。

強度にはμW／㎠という単位が用いられる。

ここで、ベッカー博士の言葉を思い出してほしい。

電磁波は周波数に関係なく人体に有害なのだ。

とうぜん、高周波も有害だ。

ある調査では、放送タワーから二キロ以内に住む子どもは、遠方の住民と比べて、リンパ性白血病の死亡率は、二・七四倍にたっしています。全白血病ですら死亡率は二・三二倍です（ホッキング報告、**図4－11**）。

これらの研究は、電波には明らかに発ガンなどの危険性が

■日本の電波安全基準は 100 万倍甘い

国名、年代等	周波数 900MHz（メガヘルツ）	周波数 1800MHz（メガヘルツ）
スイス、政令 2000	4.2 μW/cm²	9.5 μW/cm²
イタリア、政令 2003（屋外）	9.5 μW/cm²	9.5 μW/cm²
ロシア（モスクワ）1996	2.0 μW/cm²	2.0 μW/cm²
中国、1999	6.6 μW/cm²	10.0 μW/cm²
ICNIRP	450 μW/cm²	900 μW/cm²
日本、告示 1999・アメリカ・カナダ	600 μW/cm²	1000 μW/cm²
パリ（フランス）	1.0 μW/cm²	
ザルツブルグ（オーストリア）（屋外） 勧告 2002（室内）	0.001 μW/cm² 0.0001 μW/cm²	0.001 μW/cm² 0.0001 μW/cm²

ICNIRP ＝国際非電離放射線防護委員会、資料参照

図 4-12　基地局からの電磁波（高周波）の規制値について（国際比較）

あることを証明しています。

●日本基準は一〇〇万倍

よって世界各国は、電波の「安全基準」を定めています（表4-12）。

一目見て、あなたは奇妙なことに気づくはずです。

諸外国にくらべて、日本とアメリカ、カナダだけが、異常に安全基準がゆるい……！

もっとも安全基準が厳しいのは、オーストリア（ザルツブルグ市）です。

屋外で〇・〇〇一μW／㎠。室内にいたっては〇・〇〇〇一μW／㎠。一〇倍も厳しい。

このザルツブルグ基準は、電波の危険性を科学的に認識したものとして、国際的に高く評価されています。

つまり、その他の国々の安全基準が甘すぎるのです。

それでも……フランス一・〇μW／㎠、ロシア二・〇、スイス四・二、中国六・六……と、あるていど横

並びで、先進国は電波強度を規制しています。

かつて、バチカンの司祭数名がイタリア当局に逮捕される、という事件がありました。バチカン放送がイタリアの安全基準を超える電波でイタリア国内向けにラジオ放送を行ったからです。つまり、これら「電波安全基準」は、違反すると逮捕されるほど厳しいものです。

それなのに、日、米、加の安全基準は、もっとも厳しいザルツブルグ基準と比較すると六〇〜一〇〇万倍……!!

つまりこの三国は、国民に発ガン電波を、オーストリアの六〇〜一〇〇万倍浴びせてもOK！　合法なのです。

これらの国が国民を虫ケラなみに考えていることが、はっきりわかります。

スカイツリー、欧州では建設アウト！

●日本は規制値撤回せよ

日本の電波安全基準が国際的に一〇〇万倍も甘いのは日本がアメリカの奴隷国家だからです。軍事的に隷属している。だから、アメリカの命令に盲従している。

ここで、きわめて心配なのが、問題の5G導入です。

ベルギーもスイスも、5G禁止の英断を下しました（後述）。それは、5Gによる国民のマイクロ波被ばくが、各々の国の「安全基準」を超えているからです。

つまり、5G放射は違法行為となる。だから禁止した。

しかし、日本は厳格基準の六〇～一〇〇万倍もユルユル……。

だから、欧米諸国では即禁止となる5G電波が、日本では「安全基準クリア」と合法にされてしまう。

それどころか、東京タワーやスカイツリーは、欧州の禁止数値を超えた強度の電波を発射している。だから、スカイツリーはパリやローマ、モスクワなどでは、完全に建設禁止となる。

まずは、日本の規制値（一九九九年告示）を撤回させます。

即座にオーストリア並みに厳しい数値で告示させることが必要です。

それが非現実的というなら、せめてフランスと同じ一・〇μW／㎠にすべきです。

ところが……この「電波安全基準の国際比較」を伝えるメディアが、皆無なのです。

拙著『新版 ショック！やっぱりあぶない電磁波』（前出）しかない。

新聞は載せない。テレビは流さない。政府は隠す。呆れてためいきすら出ない。

●微弱電波でも恐るべし

表4－13は、浴びる電波の強さによって生じる症状です。
▼〇・〇一μW／㎠で、すでに「脳への浸透性」に変化が発生していることに驚きます。

■スカイツリーは欧州では建設禁止だ！

子どもの居住地	①高周波強度（電力密度）	②小児ガン（例：リンパ性白血病）（罹患率）	（死亡率）
A放送タワー周辺（4㎞以内）	0.2〜7.0 μW/cm^2	1.55倍	2.74倍
B放送タワー遠方（12㎞以遠）	0.02 μW/cm^{2}以下	1.0倍	1.0倍

（＊μ W/cm^2：1cm^{2}当たりに受ける高周波強度｛電力密度｝をマイクロ・ワットで表す）

電磁波強度と人体への影響
- ▼0.01 μW/cm^2 ……… 脳の浸透性に影響
- ▼0.02 μW/cm^2 ……… 脳のアミン・レベルが変化
- ▼0.05 μW/cm^2 ……… 男性の精子数が減少
- ▼4.0 μW/cm^2 ………… 神経内分泌に変化
- ▼10.0 μW/cm^2 ……… 遺伝子効果が現れる
- ▼28.0 μW/cm^2 ……… 他の影響下でしゅよう促進効果

（エイディ博士）

表4-13　放送タワー近くの電波強度による子どもの被害
出典：『続あぶない電磁波！』（三一新書）

脳は、それほど微弱な電波にも反応するのです。だからオーストリアは、この数値の一〇〇分の一を安全基準（室内）としたのです。

▼〇・〇二μW／㎠で、「脳内成分のアミン濃度が変化」しています。

これは、オーストリアに次いで厳しいフランス基準の五〇分の一です。

それでも脳の成分に変化が起きるのです。

▼〇・〇五μW／㎠で、「男性の精子数が減少」します。フランス基準値の二〇分の一！　日本基準値の二万分の一！　それで、精子減少という重大症状が発現する。

日本政府は、その二万倍浴びても「異常は起らない」と言っているのです。

▼四・〇μW／㎠で、「神経内分泌系に変化」が生じる。つまり、神経異常が起こる。

うつ病や自殺、暴力など異常行動が引き起こされる。
▼一〇μW／㎠で、「遺伝子効果が現れる」。つまり、遺伝子が障害される。
それは、即発ガン、突然変異、催奇形などにつながる。
▼二八・〇μW／㎠で、「他の影響下でしゅよう促進効果」とは、複合的にガンを増殖させる、という意味。つまり、このレベルのマイクロ波を浴びると、まちがいなくガンが増殖する。
だから、スイス、イタリア、ロシア、中国、フランスなどは、規制値を一〇μW／㎠以下に抑えたのです。最低でも電波よる遺伝子損傷、発ガンは避けたい。その思いがくみとれる。

5Gは人間の脳に侵入し、破壊する

●コロナと5Gで〝洗脳〟

〝闇の支配者〟イルミナティは、人類をゴイム（獣）と呼んでいることを、忘れてはならない。

そして、彼らは「ゴイムの数を九割減らす」と公言しているのだ。

地球の人口を一〇億人にして、最後は理想の五億人にする……。

黒人、黄色人種のほとんどは、〝間引き〟される運命にある。

これが、彼らが描く理想の新世界秩序（NWO）なのだ。

5G導入の真の狙いも、ゴイムの〝洗脳〟と〝削減〟である。

彼らは、電磁波がヒトの脳を狂わせることなど、とっくに知っている。

そのため、世界を〝電磁波の海〟に沈めたのだ。

電磁波が発ガンし、精子を減らすことも熟知している。

そのため、世界中の人類に浴びせているのだ。

これは、生物兵器である新型コロナウイルスも、まったく同じ。

やはり、ゴイムの〝洗脳〟と〝削減〟に役立っている。

しかし、〝闇の支配者〟によるコロナと5G両輪の人類攻撃に気づいている人は、きわめて少ない。

まずは、洗脳装置であるテレビ、新聞、さらに政府、学界――と決別しなければならない。

さもなければ、のどかな〝洗脳〟状態は、死ぬまで続くだろう。

●5G会社の内部告発

国際批評家ベンジャミン・フルフォード氏の告発は貴重だ。

「……先日、二人の人物から以下の内容の同じ内部告発が寄せられた。『……現在、商用化が進められている5Gは、人類にとって非常に危険である』と。その告発者の一人は5Gの技術開発に携わる海外の大手通信機器メーカーの幹部だ。彼によると、5G向けの電波（周波数）は、従来の3Gや4Gとは大きく違い、人間の脳内で観察される周波数に極めて近いため人体、とくに脳に与える影響が甚大。しかも3Gや4Gが商用展開されるさいに、さまざまな観点から安全性に関する調査が行われていたが、5Gのばあいは、なぜか、会社の上層部が、十分な調査もせずに商用化を急いでいる、という」（月刊『ザ・フナイ』二〇一九年六月号）

さらに、「5Gマインドコントロールの陰謀」に嫌気のさした管理職が、次々にやめているという。

「……5Gを展開するには、小型基地局を一〇〇mおきに、いたる所に設置する必要がある。生活環境には、5Gの高周波数の電波があふれ返り、つねに人体はさらされる。5G電波は、脳内周波数に極めて近い。内部告発者は『人間のマインドコントロールに利用される恐れがある』と警鐘を鳴らしている。そのため、業界内では『こんな危ない計画にかかわりたくない』と考える多くの管理職が次々と辞表を出している、という」

こうして5G業界からは、人材と情報が流出している。

危機感を抱いた科学者たちも立ち上がった。市民、住民もプラカードを掲げて街に出ている。

スイス政府、5Gネットワーク禁止命令

●安全基準犯す違法電波

こうした動きはやがて、国家レベルにまでたっするだろう――。

わたしの予測は的中した。ベルギーに続いて、スイスも5G禁止を決定したのだ。

二〇二〇年二月一三日付けの英紙『フィナンシャル・タイムズ』は、緊急速報を伝えた。

「……スイス政府は第五世代（5G）移動通信システムのネットワーク使用禁止を命令した」

その理由は「5Gの健康への悪影響への懸念」である。

このニュースが産業界に与える影響は、無視できない。

「……5Gの展開が世界各地で進むなか、ヨーロッパで比較的に進んでいるとされるスイスの判断は、他国に影響を与える可能性もある」（『サンケイビズ』二月一七日）

マスコミにも動揺が広がっているようだ。

前出『フィナンシャル・タイムズ』は、以下のように伝える。

「……スイスの環境当局は一月末、国内の州政府に書簡を送付している。さらに当局はそこで、5G電波の影響評価をしなければ『安全基準』を提示できない、と説明。検証作業には『時間がかかる』としている」

これはベルギー政府の対応と同じ。同国には電波の「安全基準」四μW／㎠が存在する。

スイス当局のいう「5G電波影響評価」とは、この「安全基準」をクリアしているか否か？

という検証であった。

そして、スイス政府が出した結論は、「5Gは『安全基準』を犯す違法電波を発する」というもの。よって同国内での5Gネットワークの使用が禁じられた。

これに衝撃を受けたのが、同国内の携帯業界だ。

「……スイス通信大手スイスコムは、環境当局の検証作業による5Gインフラの設備作業が中断することはない、と説明。『制限値以内の電波が、健康に害を与えるという証拠はない』と指摘している」（共同）

市民の怒りが5G禁止に追い込む

●欧州で最初に5G導入

スイスは、欧州ではいち早く5Gを導入している。

二〇一九年四月から5G商用サービスを開始。

ところが、首都ジュネーブで、5G基地局が設置されてから住民に健康被害が続出。たとえば、ローザンヌで発行されている消費者向け週刊誌『L'Illustré』のウェブサイトには「5Gで実験モルモットのように感じる」という市民の生々しい健康被害報告が寄せられている。

スイスコム社は5G基地局建設を急ピッチで進め、二〇二〇年中には同国人口の九割が5Gを利用できる予定だった。そこに突然降って湧いた禁止命令――。

その背景には、全国的に展開された市民の反対運動がある。

それを受けてジュネーブ州などの州議会が、5Gの一時停止を決議。これに強制的な規制力はなかったが、最終的にスイス政府は、「5G禁止」を決定した。

●不眠、不安、耳鳴り、心臓異常

5G禁止にスイス政府を追い込んだのは、国民の不安と怒りだ。

すでに、多くの健康障害が発生している。

たとえばジュネーブ中心地区に住むヨアン氏（二九歳）は、健康で活発な青年だったが、5Gが始まった二〇一九年四月から体調不調におそわれた。

「……眠りにつくのが困難になり、家にいると幽霊に囲まれているように気分が悪い。夜中に目がさめる。口笛のような耳鳴りが始まった」

彼はネットで検索して、近所に5Gアンテナが三基もあることを知った（日本と異なりネットで基地局の位置が公開されている）。

さらにヨアン氏は、二か月以上も経験のない鼻づまりに悩まされている。

「これから子どもができたとき5G基地局の側には住めない」と脱出を考えている。

もう一人、俳優かつディレクターのエリダン氏（五〇歳）はこうおどろく。

「基地局ができて、一晩で症状が出た！」

「それまで、耳鳴りとはなんだか知らなかった。それが、急に大きな耳鳴りにおそわれた。同時に後頭部が痛くなった。心臓に激しい不快感を感じた。心臓発作をうたがって検査を受けたが、『スポーツマンの心臓です』と、異常はなかった」

●妻も三人の子も不眠症

エリダン氏は断言する。

「私は健康そのもので、医者にかかったこともない。酒もタバコもやらない。なのに、私同様に、妻も三人の子どもたちも不眠症になった。5G基地局の電波が原因なのはまちがいない。スイスコムも、基地局設置後に家族に症状が発症していることを認めています」

検査を受けた看護師に相談すると、一言……。「家から引っ越すことですね……」

彼は、怒りをこめてジュネーブ州のホシェルス知事（緑の党）に、窮状を訴える手紙を書いた。ところが、「この新技術は合法である」との返事にあぜん。エリダン氏は憤る。

「……スイス連邦政府は、スイスコムの過半数の株主だ。これを忘れてはいけない。やつらの経済利益にぶつかると、完全否定する。だれも市民のことなど関心を持っていませんよ」

エリダン氏の耳の痛みは続く。「非常に痛くて、ここには住めません」。しかし、仕事でジュネーブから近くのフランスに出張すると、痛みは消える。帰宅するとすぐ痛み始める。

「私はジュネーブ市民だ。税金も払っている。なのに、なぜ家を出なければならないのか？これは完全に非民主的だ」

エリダン氏は偶然、同じ5G基地局の悩みを抱えるヨアン氏（前出）と出会っている。

二人は声をそろえてこう訴えている。

「俺たちは、実験用モルモットだよ……」

●数年後にガン大発生？

二人を支持するB・ブフス医師も5Gに怒りをかくさない。

彼は、ジュネーブ州議会に「5G一時停止」を申し入れた議員でもある。

「……当局は、われわれをバカのように扱っている。じつに非常識だ。5Gは明らかに『予防原則』に反する。なぜ、たった二か月でこれほど多いアンテナが使用されているのか？　どんな薬でも、良否の判定には何年もかかる。すべてが速すぎます。5G設置に客観的な緊急性はない。なのに、私たちは5G競争のまっただなかにいる。5Gはじっさい、住民には役立たない。5Gは、見えない、感じられない。それで、ふつうの人たちは、原子力のようなリスクはゼロだと感じている。しかし、腫瘍（ガン）大発生など、数年後に大惨事におそわれるリスクがある。州にはその責任があるのです」（『L'Illustré』より要約）

「健康被害への懸念から、いくつかの州議会は、5Gの一時停止を求める決議を採択した」

「ジュネーブに住む二人の男性が5Gの健康被害を訴えている」

これらを受けて、スイス連邦環境省は5G基準値を策定するため、スイスコムに5G施設使用禁止を命じた。エリダン氏とヨアン氏の訴えは、こうして実った。

「……スイス国民の間では、5Gを規制するための憲法改正の国民投票を目指す動きが進んでいる」（『電磁波研究会報』二〇二〇年三月二九日）

つづく5Gストップ、スロベニアでも中止に

●計画は三～五年先送り

スイスの5G禁止措置の衝撃は、世界に波及している。

ヨーロッパ中部国家スロベニア共和国でも、5Gが一時停止に追い込まれている。

推進主体は、政府機関のネットワーク・サービス庁（AKOS）。

その責任者は、二〇二〇年一月九日、5G周波数割当てオークションについて、通信事業者への説明会場でこう述べて計画の先送りを表明した。

「……事業者の5Gネットワーク設置は、三～五年先になる」

その説明会場の外には、5Gに反対する市民約五〇名が詰めかけ、プラカードを掲げていた。

「人にやさしい技術のための運動」代表は、こう述べている。

「わが国の環境保護法は、こう定めています。『（安全性など）十分に証明されていない技術は導入しない』（注意原則）」

翌一月一〇日、同国公共行政省のメドヴェド大臣は、記者団に表明した。

「……5G技術の影響を議論するため討論会を計画している」

さらにこう付け足した。

「幅広い参加者と、あらゆる〝意見の衝突〟を期待している」

大臣は正直な見解も示している。

「……世界的にもまだ存在しない。決定的な答えは出てこないだろう。5G技術について、『5Gが完全に無害である』と結論づける研究結果はいまだ確立されていない」

加えて「5Gで起こる恐れのある健康影響を、推進主体AKOSの審議会は十分配慮してこなかった」と厳しく批判している。

――スイス、スロベニアに続く国が続出するのは、確実だ。

あなたにも愛するひとがいるはずだ。愛する家族があるはずだ。

なら、この本を〝武器〟として、立ち上がってほしい。

あなたがすることはカンタンだ。まず政府（総務省TEL03-5253-5111）に電話をしよう！

「5Gをやめてください」「専門家ですら数百万人が死ぬと言ってます」「二〇億人が死ぬという警告もあるのです」

相手は、こちらが電話を切るまで、切れません。

あなたは、日本国憲法が定めるこの国の主権者なのです。堂々と主張してください。ひるむのは、相手の方です。
わたしたちは「ストップ５Ｇ！」のアクションを呼びかけています。
あなたも、参加してください。
そして、この本を広めてください。

第5章　すでに人類は〝スマホ中毒〟、あなたもご注意！
――自然にもどって、リフレッシュしよう

3G、4G、5G……電磁波リスクは激しくなる

●スマホ時代の危険性

第4章で、携帯電話などの隠された有害性を明らかにしました。

これらは、3Gすなわちガラケーの害です。

それでも、一〇年使い続けた人に五倍も脳しゅようが発症しています（129ページ参照）。

それが現在は、世界中でスマホ一色となっています。つまり、4G社会です。

スマホ（4G）は、ガラケー（3G）より、けたちがいに便利です。

それだけ、通信速度も通信量も飛躍的に増大しているからです。

だけど、そのぶん使用される電磁波強度も約一〇倍アップしています。

「人工電磁波は、すべて生体に有害である」（ベッカー博士）

だから、3Gより4Gのスマホの方が、リスクもはるかにアップしている。
パワーは一〇倍！　そして被害も一〇倍なのです。そのことを忘れてはいけません。
わたしはスマホを否定しません。
それだけの利便（ベネフィット）をもたらしているからです。
しかし、それは危険（リスク）と、となり合わせです。
リスクをさけたかしこい使い方を、こころがけてください。

●隠されていた危険性

全世界に普及したスマホには、表に出ないリスクが潜んでいます。
以下――。安心して使うためのヒントにしてください。

①心臓病とガンの原因となる（米国立衛生研究所（NIH））

NIHは、一〇年間の研究の最終報告書を公表している。

その結論は「携帯電話やスマホの発ガン性が証明された。さらに心臓病の原因にもなる」。

②長時間スマホで、早死にやガン発病リスク

「スマホに費やす時間が長いほど、座りがちになり、体を動かす時間が減る。そのため、早期

死亡、糖尿病、心臓病、種々のガン、関節の不快症状などのリスクが増大する」（M・モロン医師）

③スマホを持っているだけで成績が下がる

東北大学、加齢医学研究所の川島隆太所長の警告はショッキング。

「スマホを近くに置いておくだけでも、（作業）パフォーマンスが下がる」

衝撃事実を実験で証明。これはスマホからの発信音に作業への集中が阻害されるから？

「検索」機能もスマホは便利だが、紙の辞書と比較するとおどろくべき結果が出た。

「国語辞書を使っているときは、左右の大脳半球の前頭前野は活発に働いているのに、スマホを使うと、まったく働いていない」

つまり、紙の辞書は脳が活発に働き「頭が良くなる」。

スマホ検索は頭の機能を使わないので「頭が悪くなる」……。

④角膜を傷つける「角膜上皮障害」急増

六割以上の眼科医（六三・四％）が、スマホが普及し始めた一〇年前にくらべて「角膜上皮障害を伴うドライアイ患者が増えている」と回答。さらに近年は「ドライアイだけでなく、眼自体がキズつくほど眼を酷使している人が増えている」という（イオン調べ）。

⑤若者に増加する「スマホ難聴」

「スマホで音楽を聴くときは、一日一時間以内にすること」。これは、WHO（世界保健機関）が二〇一五年二月に出した安全指針。その理由は「聴力を守るため……」。

背景には、スマホ愛用の若者に「スマホ難聴」と呼ばれる新しい疾患の増加がある。「音楽などを大音量で長時間聴く習慣のため難聴になるおそれのある若者（一二～三五歳）は、世界で一一億人にのぼる」（WHO）というからびっくり。

⑥ブルートゥースで発ガンの恐れ

世界一三〇か国以上の科学者二五〇名が、連名で国連とWHOに請願書を提出している。内容は「耳の穴に収まるワイヤレス・ヘッドホン（エアポッド）が、脳を通して電磁波をつくっている。イヤホンは脳や内耳に近すぎるため、脳しゅようなど発ガンリスクが高まる恐れがある」という。

ここで使われるブルートゥースは、弱い電磁波の無線で聴く方式。しかし、「健康への影響に関する研究は、ほとんど行われていない」。さらに、エアポッドは「脳に電磁場をつくり、電波を通過させて互いに会話する」。

専門家によると、この方式についても「安全性研究はほとんど行われていない」。

⑦スマホは高ストレス、読書は低ストレス

全国七万人の女性を対象にしたアンケート調査では、五二・九％が「読書習慣はほとんどない」と回答。そして、ストレス・チェック基準（厚労省）で調べると「一日三〇分以上」読書習慣のある人ほど、ストレス度が低い。そして、「一日三〇分以上」読書する人でも、「SNSを利用」する人は高ストレス傾向を示した。

その原因として、ブルーライトによる疲れ眼、眼精疲労ストレスなどが考えられる。

さらに、スマホから発生する有害電磁波も原因の一つだろう。

結論。スマホは控えめ、読書は多めに……！（メディプラス研究所調査より）

⑧子どもにスマホは脳発達を阻害する

「スマホやタブレットの使い過ぎは、テレビの見過ぎより、大きな影響を子どもに与える」（米国立衛生研究所（NIH））。三億ドル（約三四〇億円）もの研究資金で行われた研究結果は衝撃的。「スマホ画面などを一日二時間以上見る子どもは、『言語』『思考』能力測定テストのスコアが低い」。さらに「MRI検査で子どもの脳を調べた結果、一日七時間以上これら画面を見ている子どもの大脳皮質が薄いことが判明」。これは、脳の老化現象だという。

⑨スマホ中毒やゲーム依存は精神疾患である（WHO）

「スマホをいじってないとイライラする」

ＷＨＯ（世界保健機関）はこれらを、独立した疾患として認定。つまり、スマホ中毒などは心のビョーキなのです。同じような依存症（アディクション）にアルコール中毒、ギャンブル依存症などがあります。

これを克服するには、医療的、精神的なケアが必要となります。

じっさい、「スマホ依存症」で入院治療中の子どももいるのです。

⑩スマホ病で認知能力が低下

日本人は平均で七一％、三〇代では九二％がスマホを使っている。

そして、使い過ぎると〝スマホ病〟になる。それは、「ドケルバン病」（親指付け根の痛み）「スマホけんしょう炎」「スマホ老眼」「頭痛」「肩こり」「しびれ」「ドライアイ」……など。

深刻なのは「認知能力の低下」。〝スマホ病〟から若年性痴呆症になりかねない。

⑪「歩行困難」「肩硬直」スマホ中毒症状

「スマホの使いすぎによる腕のしびれ、痛みを放置すると、たいへんなことになる」と専門医は警告する。「スマホを持つ腕がしびれる」（三〇代男性）、「スマホゲームで突然肩が上がらなくなった」（四〇代男性）——彼らは「椎間板ヘルニア」を発症していた。

理由は「スマホ使用時、首には三～五倍の重力がかかっていた」（！）。

最悪、歩行障害になる患者すらいる。

⑫スクリーン画面を見る子ほど感情理解度は低下

これは、ノルウェー科学技術大学の報告。イギリスでは五～七歳の子どもは平均して、テレビを見たり、ゲームをしたり、SNSなどに毎日四時間も費やしている。

いっぽう、子どもの感情理解のほとんどは四～六歳で発達する。研究チームは、スクリーン画面を見る子どもほど感情の理解が低くなる、と警告している。

「……それは、精神的健康、睡眠パターンに影響し、中毒さえひきおこす」

⑬危険！　尻ポケット・スマホ。精子は激減、直腸ガン激増

スマホのマイクロ波で精子が死ぬ。それは、もはや常識だ。実験でも証明されている。

ラットにスマホの電波を長時間当てただけで、なんとオスの精巣が損傷されていた。実験を行ったのは中国の中南大学などの研究チーム。

「ラットの精巣に、毎日六時間4Gスマホの電波を当てて観察」。その結果、一五〇日間、陰嚢に当てたラットの精子の質が低下。さらに、精巣にも損傷が発生した。

ズボンのポケットに携帯電話を入れていると精子が三〇％減った、という報告もある。スマホを尻ポケットに入れる、これは危険。さらに、最近世界の若者に急増している直腸ガンも、〝尻スマホ〟が原因という。

携帯会社はスマホの「取り扱い説明書」に、小さな文字で「体から二・五センチ離してご使用ください」とさりげなく書いている。気づいて実行している人は、皆無だろう。

これは将来、脳しゅようなどでユーザーから訴えられたときの予防策。

「使用上の注意」を守らなかったあなたが悪い、使用者責任と突っぱねるための布石なのだ。

さらに、付属イヤホンマイクも同じ。法的責任逃れのためなのです。

⑭ミツバチ絶滅、携帯電話の基地局も原因

世界的にミツバチが激減しています。その最大理由は、猛毒農薬ネオニコチノイド。

しかし、その他の環境要因も重複しています。

そのひとつが、携帯電話の普及とともに拡散した電磁波です。

「インド南部ケララ州での実験で、ミツバチの個体数が激減したのは、携帯電話会社が通信ネットワークを拡大し、同州全域に設置した基地局が原因であることが明らかになった」（ＡＦＰ通信）

――以上、最近の研究で判ったスマホなどの問題点です。
これまでの有害性に加え、これだけの新たなリスクが指摘されているのです。

ある保育園の〝戦い〟

●三五〇m内ガン一〇・五倍！

放送タワーや携帯基地局からの電波は、4Gでもきわめて危険です。
放送タワーから五〇〇m以内の子どもは、遠方にくらべて白血病患者九倍……！（英サットン・コールドフィールド）
携帯基地局からのマイクロ波も、やはり危険だ。
「中継基地局から三五〇m以内では全国平均より、女性の発ガン率は一〇・五倍。全体の発ガン率も約四倍高かった」（イスラエルネタニア市調査結果）
ここまで読んでも、いまだピンとこない人が多いはず。
政府も、新聞・テレビも、電磁波については〝で〟の字もふれない。
すると国民の頭の中からも、この電磁波の危険性は、いっさい存在しなくなるのです。

●幼児たちに鼻血続出

こんな〝無関心症候群〟が日本中にまんえんするなか、日本で初めて、携帯基地局の規制条例を勝ち取った自治体があります。宮崎県小林市の市民たちの快挙です。

立ち上がったのは保育園の園長さんたち。

子どもたちに原因不明の鼻血が続出したことがきっかけだった。

調べてみると、園の至近距離に、ＫＤＤＩアンテナとドコモ基地局の鉄塔。二つの中継基地局から、幼児たちは有害マイクロ波の二重攻撃を受けていた。

わたしも現地の保育園を訪問しておどろいた。

まず、園からわずか五六ｍしか離れていないビルの屋上に、巨大アンテナ。のしかかるように保育園の敷地を見下ろしている。ＫＤＤＩの基地局である。

さらに、約一二〇ｍの近距離に、ＮＴＴドコモの基地局が設置されていた。

鼻血など子どもたちの異常との因果関係に、携帯基地局アンテナからのマイクロ波があったとは、園長先生ほか、まったくの盲点だった。

これほど間近に基地局アンテナがあったことすら、知らなかった。

基地局が怪しい……と気づいたのは、二〇一二年、電磁波問題に取り組んでおられる山田せいさんの学習会で、電磁波の害を聞いた時だった。

さっそく園長先生は、保育園にもどって周囲を点検し、あまりに近くに携帯基地局があることにビックリしたのだ。

園児にあまりに鼻血が多く「鼻血表」で記録

●三五人の子どもが鼻血

保育園作成の報告書には、子どもたちの被害が生々しく描写されている。

「……園では二年前から、打撲などのケガとは無関係に、突然鼻血を出す子があいついでいた。そのため二〇一三年六月から、『鼻血表』を作り、記録を取り始めた。すると、もっとも多かったのが同年九月、のべ三五人の子どもが鼻血を出した。一日に何度も出したり、三〇分止まらない子もいた。また保護者にアンケートをとり、家の近くでも基地局があったり、家の中でWi-Fiを使用しているところは、鼻血が多く出ることがわかった」

三五人もの園児がたてつづけに鼻血を出すなど、尋常ではない。

ここから、園長さんと保母さん、そして、保護者をまじえた〝戦い〟が始まった。

「……そこで園では、二〇一三年九月、専門家に依頼して、電磁放射線量を測定してもらった。専門家は、太宰府市東小学校も測定を行った九州大学の吉富邦明教授。測定結果から、（園児や職員たちは）強い電磁放射線にさらされていることがわかり、電磁放射線を遮断するフィルムをドイツより取り寄せ、窓ガラスに貼った。現在、室内での電磁放射線はなくなった」（同）

●電磁波防止フィルムを

これは大きな前進といえる。

ドイツは環境問題の先進国なので、電磁波防御グッズも高性能のものがそろっている。電磁波問題に悩んでいるかたは、窓用フィルムや防御カーテンなどで家族を守ることをおすすめしたい。直進性の強い高周波は、これら遮蔽《しゃへい》材で相当カットできる。

さらに保育園では、電磁波問題の勉強を深めた。

「……海外では、基地局の電磁放射線汚染から子どもたちを守るための対策をとっている国が多い。たとえば、フランスのウーラン市では、『子どもたちがいる建物（学校・幼稚園・保育園）から、一〇〇m以内は基地局を建ててはならない』と決められていた、イタリアは、学校や病院、居住などを『センシティブ・エリア』と位置づけて、他の地域より低い電磁放射線の規制値を決めている」（同）

ここでも、日本政府の〝ノー政〟ぶりが情けない。

あなたは、病んで、狂ったクニに住んでいる。そのことを、まず自覚しなければならない。

●基地局で四〜一〇倍発ガン

電磁波……というと、まず、家の上の高圧線などが気になるだろう。

しかし、携帯基地局から出るマイクロ波も、きわめて有害だ。それは、小林市の保育園児たちの被害が物語っている。はやく手を打ってよかった。

鼻血などは小児ガンや白血病などの前ぶれ。

ほうっておけば、子どもたちは確実に、これら難病に冒されただろう。

携帯基地局の危険性を、ここで指摘しておく。

「携帯基地局から三五〇m以内に住む女性の平均発ガン率は、全市平均より一〇・五倍と驚愕する値となっている。そして、住民全体の平均でも約四倍もの発ガンリスクだった」（二〇〇四年、イスラエルネタニア市調査報告）

三五〇m以内で、これほど高い発ガン率なのです。

だから「一〇〇m以内、基地局禁止」というフランスの規制も、まだゆるすぎる。

ましてや、小林市のこども保育園では五〇m先に基地局があった……。論外です。

このクニは、子どもの命など、知ったことではないのです。

親が立ち上がらなければ、クニはなにもしてくれません。

全国初の快挙！　電磁波条例をかちとる

●交渉決裂から条例をめざす

「……二〇一三年七月、近隣の幼稚園などと、ＫＤＤＩとドコモに対して、基地局の撤去・移設の『要望書』を送っていたが、両者の『回答』は、『応じない』というものだった。このままでは、携帯電話のますますの普及によって、知らず知らずのうちに、基地局から発せられる電波が強くなったり、数が増え、乱建されては困るので、小林市で条例を決めていただきたい、という動きが強まりました」（『報告書』）

こうして、全国でもほとんど前例のない「電磁波条例」を請求する市民運動が始まった。

まず、職員や保護者たちが奔走したのが、条例制定の請願に必要な署名集めだった。

二〇一四年二月、議会への請願署名は四四三名分が集計された。

この市民の熱い思いを、市議会はまっすぐに受け止めた。

六月、小林市市議会本会議に「電磁波の条例制定（案）」が提出され、賛成一七・反対三で可決され、条例は制定された。

●住民の合意なくして基地局建設不可

条例の正式名称は、やや長め。「小林市携帯電話等中継基地局の設置又は改造に係る紛争の予防と調整に関する条例」（略称「電磁波条例」）

この条例のポイントは、「事業者の責務」として以下を定めたことだ。

「（事業者は）携帯基地局の設置や改造を行うときは近隣住民及び周辺住民に説明を行って意見を聴き、良好な関係を損なわないよう努めること」（第４条１）

「（事業者は）近隣住民及び周辺住民に学校又は児童福祉施設などの土地所有者が含まれるときは、その施設の管理者の意向を尊重するよう努めること」（第4条2）

つまり、基地局の「設置」「改造」の場合、近隣住民への「説明義務」を定めている。

さらに、住民の「意見」を聞いて「意向」尊重し、「良好」な関係を損なってはならない、としている。

これは実質、住民の合意なくして、基地局を建設したり、改造してはならない……。

そう定めているのに等しい。

まさに、快挙である。小林市の保育園の園長先生や職員たちのねばり強い活動を、高く称えたい。子どもたちへの愛情が、この画期的な条例をかちとらせたのです。

政治家も、行政担当者も、そして、携帯電話会社の方々も、もういちど、電磁波のもつ潜在的な危険性と、真摯に向き合っていただきたい、と切に思う。

「テントでは、ぐっすり眠れるのはなぜ？」

●一週間テント暮らし

「テントで寝ると不眠症が治る」という、面白い実験結果があります。

これは、どういうことでしょう？

「あらゆる手をつくしても眠れない時は途方に暮れてしまいます。しかし、新たな研究によって不眠症を治すにはテントが有効だということがわかりました」（サイト「Gigazine」）

これは、まずLEDライトやパソコン、スマホなどの人工光から解放されるから、という。つぎに「夜明けと日暮れの光が体内時計を同期させることで、夜は眠りやすく、朝はリフレッシュして目覚められるようになる」。

実験を行ったのは米コロラド大学の研究チーム。結果は『Current Biology』誌に掲載された。仕事や家庭で、人工的な光にさらされている八人の成人の睡眠パターンを観察し、体内時計の時間をまず測定。次にコロラドで一週間キャンプを敢行し、同様のテストを行った。キャンプでの明りは自然光とキャンプファイヤーのみ。これらが唯一の光だった。

その結果は……。

「体内時計の乱れが改善し、良質の睡眠がとれるようになった」

●太陽の光を浴びる

「我々の体内時計はわずか一週間足らずを太陽光のもとで過ごすことで完璧に同期する」

「一週間、自然光のサイクルにさらされた人々は、これまでよりも眠りにつきやすく、起床時には眼がさめていた」

睡眠や健康リズムを取り戻すのに、自然光が有効という。

オックスフォード大学の研究では、「窓辺に座っている人の機敏さは、部屋の中央で人工的な光を浴びている人にくらべて、二倍になる」。

また、朝の散歩を三〇分行うだけで、不眠症は改善する。

さらに「一日の初めに太陽の自然光を浴びることで、睡眠パターンを改善し、被験者の知能を一〇％向上させた！」。

●電波塔電波で不眠に

ここでは触れられていないが、テントで熟睡できた、もう一つの理由がある。

それが、携帯基地局などから発せられる人工電磁波からの解放だ。

グラフ5-1は、「不眠症と電波」の相関を証明している。

近くの電波塔からの電磁波が強くなるほど、睡眠障害が悪化している。

日本人にも不眠症が急増している。一説には睡眠障害に悩む人は約二五〇〇万人と聞いて、おどろいた。日本人の五人に一人が不眠症、ということになります。

グラフ5-1を見れば、睡眠障害の原因が電磁波であることは、一目瞭然です。

もしあなたが睡眠障害に苦しんでいて、近所に携帯基地局があったら……。

このグラフのコピーを証拠に、携帯電話会社と交渉なさることをおすすめします。

当たってくだけろ！　ですよ。

■不眠症は携帯中継等が原因だった！

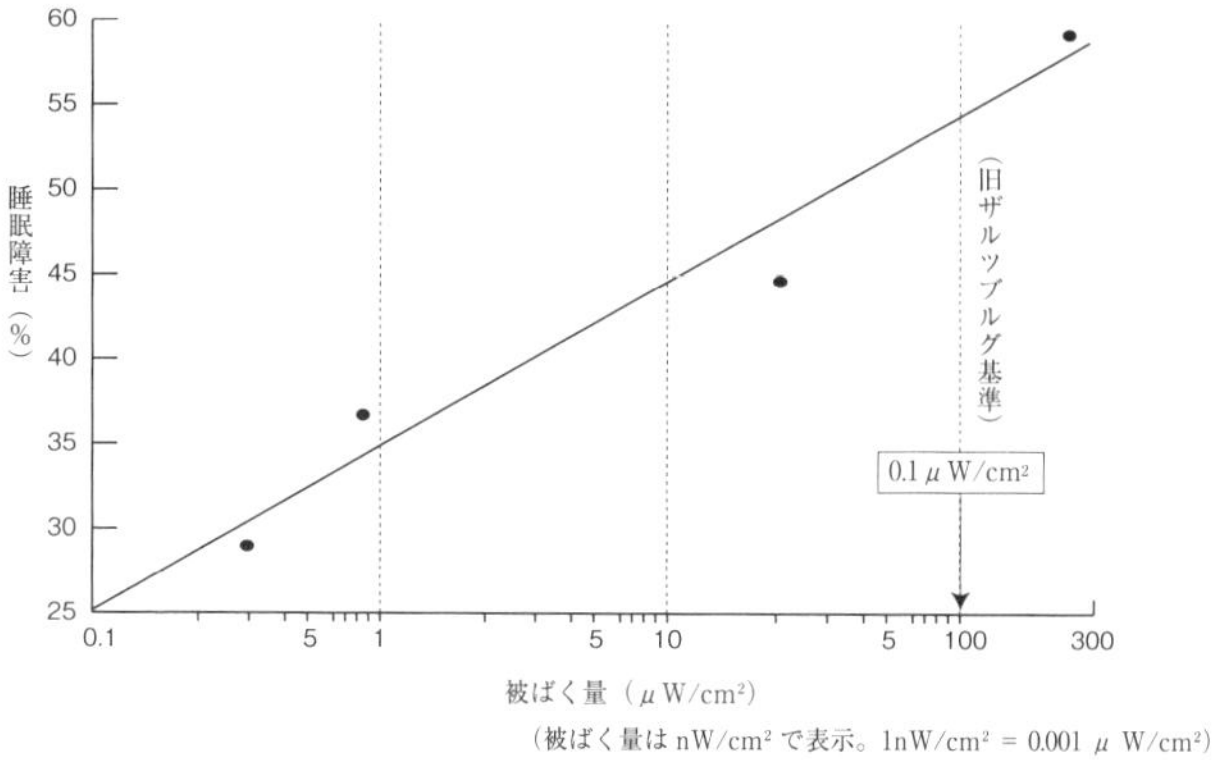

グラフ 5-1　シュワルツェンブルグで行なわれた睡眠障害と線量反応相関
出典：Altpeter et al,(1995)and(1999)

また、先述のように、太陽光を浴びることもおすすめです。

●停電すると病人が減る

コロラド大学の実験のように、キャンプに行ったらぐっすり眠れた、という人は多い。

だからでしょうか、やみつきになって、今は空前のキャンプ・ブーム。その背景には、体が人工電磁波に悲鳴を上げているから、かもしれません。

郊外のハイキングが気持ちいいのは、都会での人工電磁波の被ばくをまぬがれているから。

ある医師は、笑いながら言いました。

「台風などで地域が停電すると、病院に来る患者さんが激減する」

これは、屋内の人工磁場や電場などが、ピタリなくなるからです。

「停電になったら熟睡できた！」という人も多い。

まさに、文明生活のアイロニー（皮肉）ですね。

たまにはテレビを消して、スマホも手放し、ブレーカーを落とす。

人工の〝停電〟をつくってみるのも、落ち着いたひとときを味わうためにアリでしょう。

スティーブ・ジョブズ、子どもにiPad禁止

●iPadは使わせない

スティーブ・ジョブズは、自分の子どもには、iPadを使わせなかった……。

意外なエピソードです。

そういえば彼は、二〇一〇年、iPad発表のプレゼンで、「子どもがアクセスできるテクノロジーの量を制限している」とコメント。居並ぶ記者たちをおどろかせています。

このiPad発表の場で、記者の一人が質問した。

「ジョブズさんのお子さんは、iPadを楽しんでいますか？」

すると、意外な答えが返ってきた。

「まだ、子どもに使わせたことはないよ」

記者は、あ然とする。アップル社トップの家庭は、ITテクノロジーに囲まれたオタクの楽園のようだと想像していたからだ。

さらに、続くジョブズの答えに、会場はあっけにとられた。

「ぼくの家庭では、ｉＰａｄを使うこと禁止しています。子どもが使うと、色々と問題が起こると思うんだ」

じつに正直なコメントというべきです。

●書斎に数百冊の本

じつは、多くのＩＴ企業家たちが、同じような考えを抱いている。

たとえば、「3D Robotics」のＣＥＯクリス・アンダーソンは、五人の子どもをもつ父親。

クリス自身は、タブレットで自己管理している。

しかしアンダーソン家のルールは「寝室でのスクリーン使用禁止」。

また、ツイッター創設者の一人として知られるエヴァン・ウィリアムズ自身も、ＩＴテクノロジーには慎重な態度をとっている。

彼自身「ｉＰａｄを持たない代わりに、書斎に数百冊の本をおいて読書を優先している」という。

さらに、ツイッター社の元ＣＥＯ、ディック・コストロも家族のしつけは厳しい。

「共同スペースでのみ、子どもたちのガジェット使用を許可している」

ＩＴビジネスの成功者で、最先端にいるトップ・リーダーたちが、自分の子どもたちに、できるだけ「使わせない」ようにしている。

これはある意味、世界の医療利権を独占したロックフェラー一族が、「医者はいっさい近づけず」「クスリは飲まず」「自然療法ホメオパシーのみ信用していた」ことに通じるかもしれない。発明者だけに、その害も熟知しているのです。

●家族との夕食を大切に

ワシントン大学、J・コンスタンチノ博士は言う。

「新しいテクノロジーによって、情報やコミュニケーションへのアクセスが無限になると、暴力的、または引きこもりがちな子どもたちには、悪い影響を与えやすい」

また、伝記作家のW・イサクソンは語る。

「iPadという便利なツールを開発したジョブズだが、彼と子どもたちとの生活環境は、それとはかけ離れたものだった」「ジョブズは毎晩、家族と夕食をとり、本や歴史、さまざまなことについて、話し合っていた」

スマホやパソコンの便利さは、否定できない。

しかし、それに頼ると、人間が本来もっている直感力や発想力などが、衰えてしまう。

つねに自分たちの中にある〝野生〟や〝原始〟の生命力を失わないようにしたいものです。

第6章　5Gで地球まるごと〝電磁波シャワー〟

――鳥は墜ち、牛は倒れ、ヒトは発ガン、不妊症……

利権一兆円、なりふりかまうな突っ走れ！

●4Gの一〇倍以上強烈！

携帯電話の強度は、世代ごとにパワーアップしている。

こころみに、ガラケー3G携帯を方位磁石に近づけてみる。磁針は、少しユラユラ揺れるだけ。これで、待ち受けの電磁波がガラケー本体から発信されていることがわかる。

次にスマホ（4G）をかざしてみる。

すると、アレヨアレヨ……今度は、磁石の磁針がグルングルンと大幅に揺れはじめる。

同じ携帯でも、世代が一っちがうと、これだけ電磁波強度がちがう。

それだけ、3Gにくらべて4Gのほうが、生体ダメージは大きい。

世界で電磁波問題にもっとも詳しかったベッカー博士（前出）は、ガラケーですら人体に危険と警鐘を鳴らしていた。

もし、5G計画を知ったら、卒倒して気を失ったかもしれない。

〝闇の勢力〟が強引に導入しようとしている5G……。

それは、さらに4Gの一〇倍以上の強さの電磁波を利用する。

●利権は年一兆円以上！

ところで、4Gに使う電波は障害物を回り込むことができる。

しかし、波長がさらに短いミリ波の5Gにそんな芸当はできない。直進するのみ――。

だから、これまで4Gでは一つの基地局でまかなえていたエリアでも、5Gでは数十倍もの基地局の設置が必要となる。つまり、街中が電磁波シャワーを浴びせられることになる。

さらに、「邪魔になる」と世界中で街路樹が伐採されている。

まさに、狂気のプロジェクト。ここまで大問題なのに、いっさい新聞やテレビで話題にもならない。それは、テレビや新聞は利権で動くからだ。

スポンサーにとって不利益な情報はぜったいに流さない。これが、マスコミの大原則だ。

知らぬは消費者ばかりなり。5Gの市場は日本だけで年一兆円といわれる。

これだけ大きなカネが動く。だから恐ろしい被害には眼を閉じ、耳をふさぎ、口を閉じる。

こうして政府も業界も大暴走している。

ムクドリ二九七羽バタバタ墜死のナゾ

●5G電波発射の瞬間に……

5G電波の試験送信をはじめたら、鳥がバタバタ落ちた……。

ネットでは、世界各地で起きているミステリアスな映像がいくつも流されている。

もっとも有名な事件が、オランダのハーグで発生したムクドリ大量死だ。

二〇一八年一〇月、デン・ハーグHS駅前に設置した5Gアンテナ塔から試験的に電波を飛ばしてみた、らしい。

というのも、実験自体が非公開で秘密裏に行われたからだ。

オランダ鉄道は、将来的な5G運用をめざしている。

のちに、完成した5G基地タワーの通信エリアの確認、ならびに駅構内や周辺にある機器への影響をチェックする実験だった……と認めている。

そして、実験を始めるやいなや、近隣ハイゲンスパルク地区にある公園で、奇妙なムクドリの墜死が始まった……。

「……ムクドリ以外にも、池で泳いでいたカモが一斉に頭を水中に突っ込んだり、われ先にと飛び立ったかと思うと、少し離れた地面や水路に急降下したり。おどろいたことに、落ちてきたムクドリは皆息絶えていた。その数、合計二九七羽……」（サイト「TOCANA」）

●なんの病原体も発見されず

事件の第一報を受けて、オランダ食品製品安全庁（NVWA）は対策に乗り出した。同庁は、ヴァーヘニンゲン生物科学研究所に死亡した鳥の解剖検査を依頼した。研究者たちはムクドリの死因を追究したが、「体に内出血を確認しただけで、毒物は検出されなかった」。

心臓マヒでも伝染病でもない。科学者たちは、キツネにつままれた思いだった。

「まるで殺人現場でした」

惨状をふり返るのは、現場に駆けつけたオランダ動物愛護党のバーカー議員。

「ムクドリの体内からは、なんの病原体も発見されず、血流も良好、来るべき冬に備えて、健康そのものだった。唯一、納得のいく説明があるとすれば、5Gの実験でマイクロ波が鳥たちの心臓を止めたということでしょう」

調査チームに参加した鳥類保護施設「デ・ウルブ」スタッフのレクスモンド氏は、首をかしげる。

「見たところ、鳥たちはやせ細っていたわけでもない。だから集団心不全とも考えられないんです」

●牛の巨体をも倒す5G

死因のあらゆる可能性は否定された。残る重大な疑惑は、墜落直前に、間近で5G送信設備から強いマイクロ波が周辺に照射されたことだ。

5G推進派の科学者ですら、この怪死についてこう公言しているのだ。

「……キーワードは、解剖チームが確認した内出血の痕跡だ。マイクロ波による心不全というより、強烈電磁波で神経系がパニックを起こし、地面に激突〝自殺〟したのだろう」

同じ事件は、後に英国ウェールズやリバプールでも起きた。

やはりムクドリの仲間の集団自殺が確認された。

5G推進派は、平然とこう言い放つ。

「……やってみなければ、何が起こるかわからない……」

やってみて、彼らは学習したはずだ。ナルホド、鳥が大量死するのか……。

5G電波を流した瞬間、野生動物がパニックを起こす。そんな情報は多い。

ハーグの公園では、カモが頭を水中につっこんだり、空を狂ったように飛び回っている。

「……二〇一八年、同じオランダのフローニンゲンで実施された時も畜牛に異変が起きている。スイスの渓谷では、のんびりと草をはんでいた牛たちが、突如としてバタバタ倒れていったことが報告されている。そして、恐ろしいことに、ノルウェー、スウェーデン、オーストラリア、アメリカでも同様の事態が勃発している、ということだ」（同サイト）

牧場では牛が倒れた……！　5Gには、牛の巨体を倒すだけの〝威力〟がある……。

鳥たちは次々に路面に急降下〝自殺〟……

●英国ウェールズ州でも

二九七羽ものムクドリが5G電波で墜落死……。あまりにセンセーショナルすぎる。慌てた推進側は、「フェイク・ニュースだ」ともみ消しを図った。

しかし、それも無駄なあがきだった。それ以外にも各地で、5G試験電波で鳥が謎の墜落死……という証拠映像がネットで出回っている。

あまりに鳥の墜死、変死の情報が多すぎて、フォローしきれないほどだ。

たとえば――「またもや鳥の大量死！」と報道されたのは、イギリス、ウェールズ地方。英国の大手新聞『ザ・ガーディアン』（二〇一九年一二月一一日）まで報道している。

「……一二月一一日、ウェールズ州北西岸に位置するアングルシー島で、二〇〇羽を超えるホシムクドリが路上で死亡しているのが発見された。地元警察も、その死因は〝ミステリー〟だと頭を抱えている」（同紙）

写真6―1は、その現場写真。警察官が示す路上には、路面を埋めつくすようにムクドリの死体が散乱している。

■5G電波でムクドリ大量自殺の現場

写真6-1

警察が確認しただけで死骸は約二二五羽。最終的には三〇〇羽以上が死んでいた。

●路面に死のダイブ

地元紙『ノース・ウェールズ・ライブ』によれば、「死因は地面への激突による外傷と内出血」と判明した。しかし「鳥たちが地面に向かって死のダイブをした原因は不明」という。

鳥類専門家は、「ムクドリが地面に急降下することは滅多にない」と指摘する。

「……検死と並行して鳥インフルエンザのテストも行われたが、結果は陰性だった。つまり、死の直前まで鳥たちはまったくの健康体だったはずなのだ。

現在も原因は不明だが、可能性の一つとして疑われているのが、5Gである。今年一〇月から北ウェールズでの5G運用が始まっており、『North

Wales Live』（12月19日付）によると、5Gによってホシムクドリが落下したと疑う声も大きいそうだ」（サイト「TOCANA」）

通信会社は必死で因果関係を否定するが、それは醜態でしかない。

なぜなら、次から次に、鳥の墜死現象が報告されているからだ。

二〇一九年一二月二〇日、今度はイギリス、リバプールでもホシムクドリの大量死が起こっている。一〇〇ヤードの範囲で、二〇羽以上の鳥の死体が発見された。やはり、地面への激突が死因だった。急降下〝自殺〟の原因はまったく謎だと、地元紙は報じている。

事件の起こったリバプールでは、二〇一九年、夏から5G運用が始まっていた。

ホシムクドリが〝集団自殺〟したマーシーサイドにも導入されていた。

現地でも、5Gに反対する市民の声は大きく、中止を求める署名活動も行われていた。

5G基地局付近でコウモリが大量死

●イスラエルでの異変

そして今度は、コウモリの大量死です。

「イスラエルでコウモリが謎の大量死！　近くに5G基地局……地元民も困惑、『聖書』の終末予言との見解も」（サイト「TOCANA」）

ネットニュースは、墜落死したコウモリの死骸も掲載していますが、ムクドリ同様、外傷などはまったく見られない。その異変は、ムクドリの悲劇に酷似している。

コウモリの大量死が確認されたのは、二〇二〇年三月二一日ころ。イスラエルのラマト・ガン公園で、突然、空からコウモリが落ちてきた、という。

地元に住むA・モスコウィッツさんは、公園内のあちこちで、大量のコウモリの死骸を発見した。彼は、その写真を自身のフェイスブックにアップ。ネットで反響を呼び、同じようなコウモリ墜死事件の事例が、近隣の複数の住民からも寄せられているという。

地元のコウモリ保護団体の創設者N・リフシッシさんも、「これは非常にまれなことです」と困惑して語る。

大量死の原因として、気温の急激な低下が考えられるという。

しかし、それも今のところ、ただの憶測にすぎない。

「今までに見たことも聞いたこともない異常現象ですよ」と首をひねる。

「……数十匹のコウモリが、一度に死ぬという異常事態に、現地ではその原因をめぐる議論がまき起こっている。感染症ではないか、という声もあるが、空を飛ぶ動物の大量死ということに、5Gとの関連が指摘されている。世界には過去にも5G基地局の近くで、鳥が大量死したという報告が複数あり、そのメカニズムは不明であるが、5Gの電波が生物に悪影響を与えて死に至らしめている可能性がある。教授によれば、この公園の近隣にも、5Gの基地局が設置

されている、という」(同サイト)

●さらなる大きな異変が

また一部では、この異変を「聖書の予言が現実化した！」と信じているひともいるという。旧約聖書のなかに、次の一文があるからだ。

「……主は言われる。『わたしは、人も獣も一掃、空の鳥、海の魚も一掃する。わたしは、悪人を倒す。わたしは、地表から人を絶ち滅ぼす』」(『ゼファニヤ書』1：3)

「……それゆえ、この地は嘆き、これに住む者はみな、野の獣も、空の鳥も、ともに衰え、海の魚さえ、絶え果てる」(『ホセア書』4：3)

ナルホド……これぞ黙示録。コウモリの大量死が5Gによるものとしたら、それはまさに、地上のあらゆる生命の死滅を予告する〝兆し〟といえる……。

ユダヤ教のラビであるA・トラグマン師は、この異変についてこう諭《さと》している。

「……これは、過去一〇〇年にわたって、人間が自然とのつながりを見失った結果である。これは、神との関係を修復すべきである……というしるしに他ならない」

わたしも同感だ。さらに師は、次のように警告する。

「この異変は世界の終わりに現れると予言されたもっと大きな現象の小さな一例にすぎない」

以上を伝えるサイトは、こう結んでいる。

「……新型コロナウイルスの脅威に怯える世界に、さらなる厄災が降りかかるというのか？

人類は備えなければならない……」


――過去二〇年間で、地球上から昆虫の八〇％が死滅した。

もし5Gが本格稼働すれば、一〇〇％が死に絶えるだろう。

昆虫のつぎは動物、そして人類も、同じ運命をたどる――


これは、元国連職員のライア・エドワーズ女史の重い警句である。

5Gマイクロ波で、二〇億人が殺される!?

●専門家たちの警告

「……5Gを導入すれば、世界で二〇億人が死亡する」」

衝撃予測をカナダの海軍大佐が自著で暴露している（「Tap News Wire」）。

5Gが二〇億人の人類を〝殺す〟とは、にわかに信じがたい。

ただ、規模は異なるものの、まったく同様の告発を行っている学者がいる。

「……第二次世界大戦に存在した死の収容所は必要なくなった。5Gによって、家にいながら

■5Gで少なくとも数百万人殺される

写真6-2　バリエ・トゥロワー博士

にして、何百万人もの人々が殺される」

そう警告するのは、イギリスの物理学者バリエ・トゥロワー博士（写真6-2）だ。

一方のカナダの大佐は、5Gで二〇億人が〝殺される〟。他方、トゥロワー博士は、自宅にいながら数百万人が〝殺される〟……。

いずれも、頭痛だ不眠だ鼻血だというレベルではなく、〝殺される〟と断定している。

5Gに精通する専門家の断言だけに、衝撃力はケタ外れだ。

トゥロワー博士は、じつはマイクロ波兵器の開発者である。さらに、電子機器を使用する〝電子戦争〟のエキスパートなのだ。

それだけにマイクロ波などの人体への有害性については、人一倍熟知している。これまでにも、Ｗｉ－Ｆｉ電波や他の人工マイクロ波や無線電波の危険性を、訴え続けてきた。

●マイクロ波の有害性を知らしめた事件

彼は若い頃から、電磁波がはらむ危険性を知っていた。

一九六〇年代、博士は英国海軍に所属していた。そして、マイクロ波を利用した魚雷除去や戦闘行為に従事してきた。さらに、レーダー開発にも関わってきた。

こうして博士は海軍時代、マイクロ波に関して深い専門知識を蓄えてきた。

当時から軍隊では、「マイクロ波は人体に危険」ということは常識だった。

冷戦時代には、マイクロ波を武器として使用した、典型的な事例が発生した。

それが、〝モスクワ・シグナル事件〟だ。

これは、モスクワのアメリカ大使館に向けて、向かいの建物から、ソ連側が密かに有害マイクロ波の照射を続けていた……というスキャンダル。

後に明らかになり、皮肉なことにマイクロ波の人体への有害性を立証する貴重な事例となった。あのベッカー博士もこの事件に着目していた。

この〝モスクワ・シグナル〟攻撃は、米大使館に向けて長期間、密かに行われた。

この不気味な事件について、詳しくは後述する。

妊娠女性と胎児がもっとも危ない

●流産、死産、先天異常……

トゥロワー博士は除隊後、念願のマイクロ波研究に没頭する。

軍隊時代、軍事利用とはいえ、その有害性に心を痛めていた。ところが、世間を見回してみると、レーダーなど軍事用に用いられていた危険なマイクロ波が、あらゆる日常商品に、あたりまえのように使われている。この現実に博士は危機感を覚え、これら日常、身の回りのマイクロ波が健康に及ぼす影響の研究に取り組んだ。

対象は、携帯電話からｉＰｏｄ、コンピュータゲームから電子レンジまで、多岐に及んだ。トゥロワー博士は、重大な事実に眼を向けた。身近に存在するＷｉ－Ｆｉ電波や電子レンジのマイクロ波にもっとも強く影響を受けるのは、妊娠中の女性である……という事実だ。

妊娠中の女性がマイクロ波を浴びると、胎児ともども重大な損傷を受ける。

それは流産、死産さらに先天性欠損症などを引き起こす。

これは、電磁波の〝振動〟で遺伝子が破壊されることによって生じる。

さらに、胎児や幼児が強く影響される。

細胞分裂が盛んな幼い子どもほど、マイクロ波などの電磁波被害は強烈だ。一見微弱に思える電磁波でも、子どもはおどろくほど高率で発ガンしたり、白血病にかかったりしている。

マイクロ波、子どもは大人の一〇倍危険！

●脳全体に侵入してくる

博士は、子どもの脳組織と骨髄は、大人とは異なる電気伝導特性をもっている、という。だから「子どものマイクロ波放射の吸収量は、大人の一〇倍にたっする」と警告する。

さらに、マイクロ波放射の波形は受け取る側は低周波の波形に〝変調〟して被ばくする。だから、ベッカー博士の言うように、低周波も高周波も周波数に関係なく危険なのだ。

「マイクロ波のパルス信号は、幼い子どもの脳の全ての領域に浸透します。結果として、重度の神経障害を起します。それは、死にも直結しかねません」（トゥロワー博士）

博士がもっとも懸念しているのは、携帯電話や中継基地局からのマイクロ波被ばくだ。じっさい、フランスとスペインの学校では、子どもの遊び場や、その近くに携帯電話の基地局があると、子どものガンの集団発生が報告されている。

これだけ、専門学者が危険性を恐れているのに、行政も業者も完全無視で推進している。

「……一九六五年には、携帯電話は将来の潜在的需要が非常に大きいと目されていました。だからその危険性はまったく考慮されず、開発が強行された。そのとき、携帯を推進する人々は、携帯電話が使用可能になるように〝工作〟しています。つまり、基準を意図的に低く、ゆるく

したのです」（同博士）

●商売優先、危険性無視

つまり、消費者の安全より利益！　生命より金儲け！

これで、世界の携帯電話ビジネスは爆発的に利益を伸ばした。

「……現在ですら、携帯電話の安全性の〝定義〟には、『六分間の加熱』が依然として採用されています（いわゆる「発熱効果」）。しかし、これはマイクロ波から出る『熱』以外の要素（「非熱効果」）は、すべて無視されています。携帯電話が発する電気的および磁気的なものにたいする人体の保護は、まったく行われていないのが現実です」（同博士）

これまでの3G、4Gですら、消費者には発ガンや奇形、難病などの被害を多発させている。そして、ついに世界は5Gに突入しようとしている。

それは、危険な4Gより、さらに一〇倍以上も危険なのだ。

しかし、政府はまったく知らぬ顔。ただただ推進の旗を振る。業者も危険性は一言も口にしない。政界、業界、学界さらにメディアでも、口にすることすら絶対タブーなのだ。

トゥロワー博士などは、正義感と責任感から立ち上がった希有な例なのだ。

二四〇名超の科学者が5G反対で決起

●WHOの隠蔽工作

「……4G、それに続く5Gと、人々は連続して強いマイクロ波を浴びてしまう。その電磁波被ばくから、ガン、生殖障害、神経損傷、先天性奇形などの悲劇が引き起こされます。これら健康への悪影響は、一九七二年の時点ですでに知られていたのです」（同博士）

そして、許せないのはWHO（世界保健機関）の裏切りだ。博士は強く断罪する。

「WHOはこれら電磁波の有害情報を、最高機密として隠蔽することを決定したのです」

WHOは、国連で人類の健康を司る最高機関だ。そこが、電磁波の危険情報を最高機密扱いで隠蔽した！　こうなるともう、国連も信用できない。

そもそも国連を創立したのは、外交問題評議会（CFR）という民間組織だ。そして、この組織のオーナーはロックフェラー財閥。つまり、ロックフェラー財閥にとっては、国連は自分たちの所有物にすぎない。

だから国連もWHOも、イルミナティの親分ロックフェラーには、逆らうことはできない。ひとにらみで、黙ってしまう。

●政府、業界、マスコミ癒着

「……もともとアメリカ国民は、科学的知識はないのに、携帯電話、ｉＰｏｄ、その他、電子機器の便利さが大好きです。とくにスマホには、強い中毒性、依存性があり問題です。しかし、これら生産企業は、そんなことはおかまいなし。利益を取るならなんでもやる。政府は業界とゆ着し、利益を保護しています。そして彼らは、マイクロ波などの被害者が起す裁判からは身を守るため、嘘をつくのです」（トゥロワー博士）

政府、業界、マスコミの三者がガッチリゆ着して、マイクロ波などの危険性を握りつぶしている。これでは、消費者は赤ん坊同然だ。

日本では5Ｇ導入に対して、学者たちも沈黙したままだ。しかし、欧米はちがう。

「5Ｇは、導入すべきではない」

トゥロワー博士のような、はっきりもの言う研究者たちが堂々と立ち上がった。

その数、二四〇〇人以上。「より厳しい『安全基準』を定めて、市民の健康を守るべきだ」。

「国際ＥＭＦ科学者アピール」に賛同、署名して、一致団結して5Ｇ阻止を呼びかけている。

トゥロワー博士がマイクロ波の害を懸念しているのは、戦争中、まさにマイクロ波そのものが武器だったからだ。それは現在でも変わらない。

高周波ビーム兵器は、電波塔パラボラアンテナをそっくり横にした形態だ。

それは、マイクロ波ビームを敵に照射し、めまい、吐き気、意識喪失などを引き起こす。

それを「5Gの導入で全人類に浴びせる」というのだ。

もはや、正気の沙汰ではない。

マイクロ波で攻撃〝モスクワ・シグナル〟

●標的はアメリカ大使館

5Gが導入されたら、二四時間マイクロ波シャワーから逃れようがない。

マイクロ波を浴び続けたら、どうなるか？　その典型的な被害例となったのが、冷戦当時のモスクワにあったアメリカ大使館員たちだ。まさにスパイ映画もどきのサスペンス。

一九五三年、アメリカ大使館をターゲットに照射される〝謎の電波〟が確認された。

その怪電波は、道路を隔てた向かいの古い三階建てビルの三階の窓から、窓越しに大使館に向けて照射されていた。窓には目隠しに白い紙が貼られており、その内側には強力な電波発生装置が設置されていた。明らかにアメリカ大使館の方角を狙って据えられたものだった。

大使館側は当初、無線傍受の妨害電波だろうと考えていた。

しかし、この装置から照射される〝モスクワ・シグナル〟は、大使館員らに想像を絶する健康被害を与えていたのだ。

●二四人中一八人に異常

謎の怪電波の存在がわかったのは一九五三年。

訪ソした米ニクソン副大統領（当時）の大使館内の寝室に、相当レベルの電磁波が照射されていることが判明。「これはいったいなんだ？」。アメリカ側は色めき立った。

極秘裏に、大使館は軍部と協力して、電磁波の生物学的な研究をスタートさせた。

当時アメリカ軍は、まだ低レベル電磁波の人体への害作用について、まったくデータをもっていなかった。極秘研究の暗号名は「パンドラ」。〝秘密の扉〟という意味だ。

まず、健康診断の名目で、大使館に勤務する職員全員の血液が集められた。

検査の結果、変形した血球細胞の異常などが確認された。しかし、なぜか「パンドラ」の研究結果は公表されなかった。さらにその後、二四血液サンプル中一八という高率で染色体異常が確認された。それにもかかわらず、「パンドラ」計画は突如打ち切られた。

不可解というしかない。

●大使館員はモルモット

思うに、アメリカ側は、大使館員たちの健康障害の深刻さに衝撃を受けたのではないか。

それはまさに、マイクロ波自体の人体への有害性を如実に表していた。

これは、アメリカ側にとっても〝不都合な真実〟だった。

米軍部も、レーダーなどおびただしい電磁波兵器を世界中に展開していた。

マイクロ波の人体への有害性が公になると、米軍部の軍備拡張に齟齬《そご》をきたす。

そこで、大使館員の健康調査結果がきわめて深刻だったのに、「なにもなかった」ことにして、幕引きをはかったのだ。

結果的に大使館員たちは、人間モルモットの人体実験として利用された形となった。

権力というものは、いつの世も残酷だ……。

こうして、マイクロ波照射もその被害も、極秘裏のうちに二〇年以上が経過していった。

あいかわらず、〝モスクワ・シグナル〟は隣のビルから続いていた。

そうするうちに大使館勤務の外交官が、リンパ腫ガンにかかった。

ストーセル米大使まで「吐き気」「めまい」、さらに「眼から出血」まで始まった。

肺ガン一六人、乳ガン四倍、恐るべし

●世界最悪の発ガン率

一九七六年一月、米大使館は、窓のカーテンをアルミニウム製に変えた。

二月にはついに、『ロサンゼルス・タイムズ』紙が、この異常極まりない事件をスクープ記事ですっぱぬいた。こうして〝モスクワ・シグナル〟は、全世界が知るところとなった。

さらに、カーター政権下、ブレジンスキー特別補佐官が衝撃発言を行った。

「モスクワ米大使館の職員は、世界各地の大使館の中でも最もガンの発生率が高い。肺ガン一六人、白血病数人、血液障害も多い」

大使館の女性職員の乳ガン増加率は、なんと全米平均の四倍にたっしていた。

米大使館の異常はきわだっていた。

米大使館に向けて、執拗にマイクロ波を照射し続けたソ連側の狙いは、この電波に大使館内部の金属類を共振させ、内部情報を盗聴することだったという。メディア報道で〝モスクワ・シグナル〟に世界中が騒然となると、シグナルはピタリと止んだ。

しかし、奇妙不可解な後味の悪さが残る。

アメリカ側は、マイクロ波照射が露見した一九五三年、どうしてソ連側に抗議しなかったのか？

どうして、それから二〇年以上も漫然と、〝モスクワ・シグナル〟のマイクロ波を浴び続けたのか？

健康調査「パンドラ」の結果を、なぜ公表しなかったのか？

理解に苦しむが、勘ぐれば、ソ連側とアメリカ側で示し合わせて、密かにマイクロ波の人体実験を続行したのかもしれない。

その結果、大使館員に肺ガン一六人など、〝貴重な〟実験結果が得られたのだから……。

米国はソ連より一〇〇〇倍甘い〝安全基準〟

●発熱しなけりゃ安全？

ここで、アメリカ側の言い訳がある。

アメリカ軍部は一九五七年、マイクロ波の「人体への安全基準」を定めていた。

それは「マイクロ波を浴びても、体温が上昇しなければ安全」というものだった。

電子レンジでわかるように、強力な電磁波には温度を上昇させる作用がある。

これを「熱効果」（サーマル・エフェクト）という。これに対して、温度は上昇しないでも起きる電磁波作用を「非熱効果」（ノンサーマル・エフェクト）という。

米軍部は「人体への安全基準」を策定するさい、「『熱効果』がなければ安全」と強硬に押し切った。よって、高周波の〝安全基準〟は、体温上昇を起さない一〇mW／㎠と定められた。

そしてこの〝安全基準〟は、「石に刻まれたように」（ベッカー博士）絶対不可侵の値として、でっちあげられたのだ。

しかし、じつに皮肉なことが起こった。

●米より一〇〇〇倍厳しい値

やはり同時期、ソ連側も高周波の「安全基準」を設定している。

その値は、なんと一〇μW（マイクロワット）／㎠。アメリカの「安全基準」より一〇〇〇倍も厳しい。なぜ、同じ「安全基準」で、これほどの大差がついたのか？

ソ連側は、「人間の生理現象を考慮した結果」という。

これは、ソ連側が正論だ。アメリカ側の人権無視が、安全基準の驚愕格差で露見したのだ。

ちなみに、ベッカー博士は、マイクロ波の強度が〇・一mW／㎠を超えると「住民になんらかの危険性がある」と警告している。

米軍部が決めた安全基準は、その一〇〇〇倍……！

この人命無視の姿勢は、いまだ変わっていない。日本は電磁波対策でも、日米軍事同盟に引きずられて、極めて危険な安全基準を押しつけられている（137ページ参照）。

〝モスクワ・シグナル〟を浴び続けたアメリカ大使館員の悲劇は、5Gを導入した後の人類の悲劇と重なる。今度は、人類全体が人体実験用モルモットとなる……。

5Gで精子が減少！　大量不妊時代が来る

●科学者たちの懸念

「5Gで精子減少、大量不妊時代が来る！」

科学者たちの警告です。彼らは「子どもが生まれない未来が来る」という。

「われわれのDNAは、すでに大きく損傷されています。そして、5Gでさらなる被ばく時代に突入することになるでしょう」

二〇一九年五月から5Gの運用が始まったイギリスでは、その危険性に注目が集まっている。

二〇二〇年二月二日付『Daily Star』は、衝撃の見出しを掲げている。

「5Gが精子を減らす恐れ――」

記事によると、その先週イギリス首相官邸に、5Gについて二六八人の内科医・科学者から二通の「要請書」が届けられたという。その内容――。

「……われわれは、若年層への（5G）パルス高周波放射の悪影響をつよく懸念しています。研究では、この非電離放射線は、細胞システム内で酸化的DNA損傷を引き起こします。とくに若年男性の生殖器官に悪影響があります」

5Gマイクロ波は、若い男性の精子を直撃し不妊症を増大させる。よって5G運用を中止すべきだ、という「意見書」なのです。

二六八名もの内科医・科学者たちの連名。それだけに、実に重い意見だと思う。

科学者たちの懸念どおり、英国人男性の精子量は、ここ一〇年間で二九%も激減している。

二〇一八年の国際的研究では、「携帯電話の使用と精子量の低下には、相関関係がある」と結論づけられている。

●基準以下でも精子減

米ワシントン州立大学M・ポール博士の研究は、「安全基準」以下でも、電磁波照射でマウス精子量の減少が確認されています。

「……ケージ内のオスとメスの両マウスに、基準値内の電磁波を照射して実験した。高レベルの電磁波にさらされたマウスは、通常よりも小さい子どもを二回出産し、最終的には、生殖不能となった。低レベルの電磁波にさらされたマウスも、通常よりも一度に出産する子どもの数は少なかった。そして四回の出産で生殖不能となった。その後、不能になったマウスを電磁波が少ない環境に置いたが、生殖能力は回復しなかった。

この実験から、電磁波は『安全基準』内であっても、精巣と精子産出能力に不可逆的な悪影響を与える恐れがある」（科学誌『Environmental Research』）。

男女とも、スマホを体から離して使おう

●大量不妊が起こる

C・ニュートン博士（生体エネルギー学研究センター）は、『Daily Star』に、「これらの先行研究の結果を軽視すべきではない」と以下コメントしている。

「……実験では、『国際非電離放射線防護委員会』が設定している『基準値』よりも、ずっと低レベルの高周波電磁波で細胞システムは損傷しています。DNAも例外ではない。われわれが、すでにさらされているレベルの電磁波でも、生殖系の変質を引き起こしている可能性がある。将来的な被ばくがどうなるかわかりませんが、新基準が施行されたところで、結果は好転しないでしょう」

さらに驚愕の警告もある。

スウェーデンの有名なカロリンスカ研究所のO・ヨハンソン教授は、「Wi‐Fi電磁波により、人類の大量不妊が五世代、約一五〇年で起こる」と予測している。

「人類は、みずからの技術で絶滅に向かおうとしているのかもしれない。今こそ、科学技術の倫理が問われる時だろう」（サイト「TOCANA」）

●Wi-Fiも要注意

やはり5Gで、不妊症が大量発生する……という警告。

「……査読付き雑誌『Environmental Research』に掲載されたレビューは、人間の健康の観点から、Wi-Fiの多くの脅威に注意を向けている。それらは、かなり深刻です。健康な細胞の死に拍車をかけ、人間のDNAにダメージを与えます。加えてWi-Fi信号は、それらに継続的にさらされている人々の精神障害につながる可能性がある」（サイト「5Galert」Ethan Huff氏の記事より）

このニュースのタイトルは、「Wi-Fi、5G、およびEMF（低周波）汚染は、人間に、PSYCHIATRIC（神経障害）効果を引き起こし、さらに自然流産、不妊症、細胞DNA損傷を引き起こす可能性がある」。

長めですが、みごとに電磁波障害の恐ろしさを伝えています。

これらはすべて、ベッカー博士など、世界中の研究者が警鐘を鳴らし続けてきたことです。

なのに、政府やNHKや新聞は、いっさい触れない。語らない。一字も記事にしない。

おかしい……と思わない、あなたの頭がおかしいのです。

うつ、不眠、不安症なども電磁波を疑え

●神経精神障害の原因

さて、以下、ネットニュースの続きです。

「……（うつ、不眠、不安症など）神経精神障害は、ワイヤレス電波曝露による一般的な悪影響です。それは現代の多くの人々の能力に悪影響をおよぼし、その電磁波で脳の化学的不均衡を引きおこし苦しむことになります。このレビューに含まれる研究の一つは、妊娠中のWi-Fi曝露が、胎児の神経発達障害を引き起こす可能性があることを示唆しています。Wi-Fiは、コリンエステラーゼの増加、GABAおよび、コリン作動性伝達の変化、特殊学習の減少、および対象から、見慣れた物を区別する能力の大幅な低下にも関連しています」（同、さらに詳しく知りたい人は「5Galert.com」で検索を）

専門用語が少しわかりにくいかもしれませんが、つまりは、Wi-Fi電波も安全ではない、ということ。人類にとって見えないストレスになっています。とくに妊婦は、流産などの原因になる。Wi-Fiアンテナをできるだけ遠くに置くこと。

電磁波は、発生源から距離をとるほど安全です。それはほぼ距離の二乗に反比例する。

●ズボンポケットに入れない

「……自然流産は、染色体変異原に起因します。ワイヤレス（無線電波）曝露も、一つの一般的な影響です。ワイヤレス信号は、男性と女性の両方で受胎能力を低下させる。加えて、酸化ストレスを引き起こす。妊娠中の女性では、健康的な出産ができなくなる可能性がある。これには、第5世代のワイヤレス・テクノロジー（つまり5G）が含まれる。5Gは、これまで最悪のマイクロ波放射です」（同）

つまり、子どもが欲しかったら、男女とも、少なくともケータイ・スマホは体から離しておくこと。ズボンのポケットには、絶対に入れない！

とくに男性は、腰まわりに近付けない。それだけでも、子どもに恵まれる確率がグンと増すはずです。

野菜などビタミンC食品を多くとろう！

●すべてのガンを加速

『Environmental Research』（前出）は、5Gによる発ガン危険も警告しています。

ワイヤレス〝無線汚染〟は「すべてのガンを加速する」という。

ベッカー博士の警告と同じです。

たえまない無線被ばくから生じる可能性のある細胞・DNA損傷は、信じられないほど発生しています。長いあいだ無線電磁波を浴び続けると、細胞やDNAが傷つくのはとうぜんです。さらに、低周波の電磁波EMFには、電位依存性カルシウム・チャンネル（VGCC）作用がある。これは、細胞内からカルシウムイオンを流出させる特異反応です。

M・ポール博士は「EMF発ガン性の四つの証拠」を上げています。

①細胞DNAを攻撃する
②細胞膜の結合を、破壊
③炎症性発ガンを起こす
④突然変異を、誘発する

●抗酸化食品がおすすめ

このレビューで言及されている複数Wi-Fi研究は、マイクロ波・EMF（低周波）への曝露が、体内のテストステロン（男性ホルモン）レベルを低下させ、精巣サイズの減少につながることを示しています。

EMFは精巣上皮構造を損傷するだけではない。精巣の組織学的変化も誘発する。さらに、EMFは精子形成を減少させ、健康な妊娠と生殖機能を損なう。

同誌は、そのメカニズムの一つを明らかにしています。

少し、専門用語がわかりにくいかもしれませんが引用します。

「……女性でも、同様の変化が起こる可能性がある。ＥＭＦ曝露は、体内の一酸化窒素（ＮＯ）レベルを増加させる傾向がある。その結果、シトクロムＰ４５０が阻害される。Ｐ４５０はシテロイドホルモン合成に関与している。それが阻害されると、テストステロン（男性ホルモン）だけでなく、エンナトロゲン（女性ホルモン）とプロゲステロンのレベルも低下する。

これら阻害を減らす方法がある。一つはビタミンＣを多く含む食品をとる。これら抗酸化物質が豊富な食品は、ＥＭＦ被ばくによって引き起こされる体内酸化やＤＮＡ損傷を改善するのに役立つ。脳、生殖器、および、その他関連する電磁波被害を防ぐのにも役立つはずである」

ビタミンＣなど抗酸化物質が豊富な食品が有効――これはかなり有益な情報でしょう。

電波塔……八人の子どもが同時に発ガン！

●四年で八人がガンに

「〈５Ｇの危険〉八人の子どもたちが、『謎の』原因で同時にガンに――米小学校付近の携帯電話塔が閉鎖！」

衝撃のネットニュース。その問題の小学校手前にアンテナの塔が見えます。

アメリカの小学校で、同時に八人もの子どもたちがガンにかかった（**写真6-3**）。

――にわかに信じがたい。

そして、悲劇の原因として疑われているのが、学校近くに建つ携帯電話塔です。このミステリアスな事件を伝えるのは『Daily News』（二〇一〇年四月四日）。同紙によると、異変が起こったのはカリフォルニア州リポンにあるウエストン小学校。この学校に通う一〇歳以下の児童が、この四年の間に次々にガンを発症している。

それは、肝臓ガン、悪性脳しゅよう、悪性リンパ腫……。犠牲者の数は八人にたっしたという異常事態だ。

米ガン協会の統計によると、カリフォルニア州住民は、毎年一〇万人あたり四一一人（〇・四一％）がガンにかかっている。これは大人も含めた数字で、むろん、一〇歳以下の子どもよりも高齢者の方が発ガン率ははるかに高い。

日本の国立がん研究センターのデータでも、一四歳以下の小児ガンの発ガン率は〇・〇一二三％（二〇〇九～二〇一一年）。これら数値からみても、ウエストン小学校の異常性がきわだつ。

恐怖におののく住民たちが疑っているのが、学

■携帯電波塔で小学校の８人が発ガン

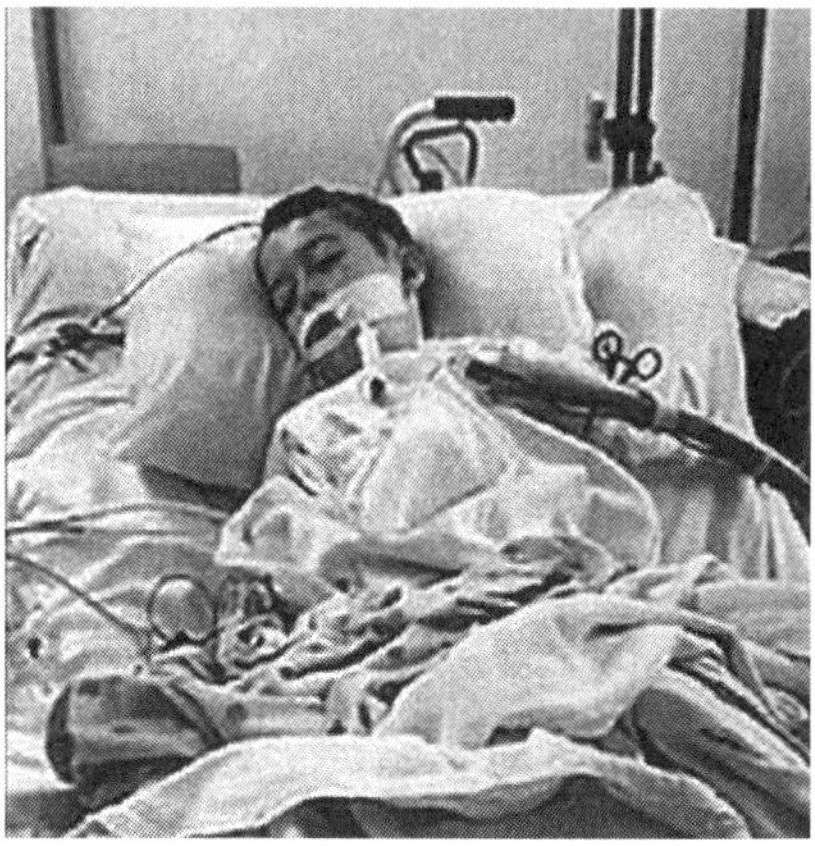

写真6-3

校に隣接する携帯の中継タワーだ。

「……二〇一六年に、息子のロイソン君が脳しゅようと診断されたモニカ・フェルーリさんは、携帯の電波塔を疑っている。『他の環境要因も考えられるでしょうが、電波塔が安全でないなら、学校の側にあってはいけない……』」（同紙）

●電波タワーを撤去

これに対し、電波タワーを所有している携帯電話会社「スプリント」は、『Daily News』の取材に答えている。

「放射している電波の周波数レベルは、政府基準よりはるかに低いのです」

しかし、これは何の言い訳にもならない。

そもそもアメリカの電波安全基準は、世界最悪なのだ。世界で厳しいとされるザルツブルグ市の最大一〇〇万倍！　驚天動地の〝安全〟基準値というしかない。

息子を脳しゅようにされたフェルーリさんは、やはり同時期に腎臓ガンを発症した児童をもつケリー・プライムさんと共に、電波塔の撤去を求める訴訟を起した。

そうして、二年間にわたる裁判の結果、スプリント社は電波タワー撤去を決定した。

フェルーリさんらの代理人弁護士マーセリス・モリス氏は、取材にこう語る。

「……何千ページもの資料を読んだが、これほど心配になったことはない」

重要なのは、同じ小学校で八人もの児童が発ガンするという異常事態が、4Gレベルの携帯中継タワーで起こっていることだ。

これから、世界は5Gモードに突入しようとしている。

そのマイクロ波強度は、4Gの一〇倍以上なのだ。

そして、アンテナは数十mおきに林立する。もはや子どもたちに、逃れる術はない。

4Gですら、これほどの惨劇を引き起こしている。

ましてや、5Gになったら、どれだけの子どもたちがガンの悲劇に見舞われるのか！

日本でも宮崎県小林市の保育園で、園児たちに鼻血などの被害が続出している。

被ばくが続けば、確実にアメリカのように小児ガンが続発する事態になっていただろう。

●ウィーン空港のパニック

5Gを導入したら、子どもたちにどんな被害が出るか？

その〝人体実験〟となった例を紹介しよう。

その騒ぎは、オーストリアのウィーン国際空港で発生した。

この日突然、同空港内で、5G稼働スイッチが入れられた。

すると……。空港内にいた多くの子どもたちが、次々に体の異変を訴えたのだ。

まず、鼻血を流す子どもが続出した。これは、マイクロ波被ばくでもっとも目立った症状だ。

さらに「頭が痛い」「眼が痛い」「胸が痛くて、苦しい」という子どももも。また「胸がムカムカする」「吐きそう」……もどしてしまう子どもたち。

その他、「だるい」「頭がフラフラする」「耳のなかでキンキン音がする」「体中がチクチク痛い」と、空港は一種のパニック状態となった。

これら異常、不調、苦しさを訴えた子どもたちを診断した専門家は、次のような症状を記録している。「インフルエンザ様の症状」「心臓の痛み」「全身を短く刺すような痛み」「頭頂部に締め付けられるような圧力を感じる」。

5G運用と同時に子どもたちはこれら異変に突然襲われ、空港はパニックにおちいった。

まさに、ムクドリの大量死や飼い牛が倒れるなどの被害と共通する。

急性ですら、これほどの症状が現れる。継続的に5Gマイクロ波を子どもたちが浴び続ければ、最悪、ガンや白血病がすさまじい数で多発するだろう。

「5G：世界史の中でもっとも愚かなアイデア」

●数千万本のアンテナ群

「5Gは、世界の歴史の中で、もっとも愚かなアイデアである」

世界的に著名な学者は、こう断言した。マーチン・L・ポール博士（生化学、ワシントン大学名誉教授、**写真6-4**）。

５Ｇの強行導入にたいして、科学者や医療関係者から、ますます反対の声が上がっている。

世界を見まわすと、５Ｇを積極的に支持する科学者はもはや皆無といっていいのではないか。

その内実を知ったら、学者としてとうてい支持できない……というのが、ホンネなのだ。

だから、正々堂々と名前も顔も出して、真っ向から5Ｇを批判する学者が続出している。

ポール博士もその一人。博士は公開講座でこう一刀両断した。

「５Ｇは、人類史のなかで、もっとも愚劣である」

■5Gは人類史上で最悪の愚かな行い

写真6-4　マーチン・L・ポール博士

その根拠は――。

「数千万本もの５Ｇアンテナ林立を強行している。それも、ただ一つの生物学的な安全テストすら行わずに……」

●ガイドラインのペテン

これ以前、３Ｇ、４Ｇにも、ワイヤレス技術に危険はともなっていた。

しかし、「５Ｇは危険性のケタがちがう」とポール博士は強調する。

その四つの理由をあげる。

①計画する非常に夥しいアンテナ群。
②マイクロ波照射の強力エネルギー。
③非常に高い送信電波の脈動レベル。
④5G周波数の高レベルな相互作用。

博士はまず、これまでの2G、3G、4G各々のガイドライン偽装を告発する。

「なるほど、これら政府が承認したガイドライン（安全基準）は、それ以下で発生する害作用をすべて無視することで、成立しているのです」

つまり、基準値以下で発生するいかなる有害性も、いっさい認めない。

数えきれないほどの数多くの、少なくとも数万件もの、電磁波の害を証明する研究論文が公表されている。

しかし、政府は、すべての存在を無視する。

ひとつでも認めたら、ガイドラインのペテンが崩壊するからだ。

「ガイドライン自体が、安全性に関してはまったく無意味です」（ポール博士）

博士は、家畜に現れた電磁波の被害例をあげる。

「……携帯中継タワーが付近にある農場では、二五三頭の子牛のうち、三二％の七九頭が白内障におそわれた。それは、基地局からの距離が関係している。基地アンテナから一〇〇～二〇〇

○m範囲で飼われていたメス牛から生まれた子牛は、それ以上離れた牛にくらべて、高確率で重度の白内障を発症していた」

これは、人間にもあてはまる。白内障は、電磁波被害ではよく知られた症状である。

強行運用は、完全に狂気の沙汰だ

●5Gの害八つの証拠

彼は、5G技術が人類の健康に悪影響を与える八つの根拠をあげている。

博士は、これらを証明するおびただしい証拠（エビデンス）に立脚している。

そして5Gは、「これら害作用をより強大に人類に浴びせる」と告発している。

その指摘は、電磁生体学の権威ロバート・ベッカー博士の論点とまったく重なる（120ページ参照）。

①発ガン性、②DNA損傷、③不妊症、④神経行動異常、⑤酸化ストレス、⑥細胞の自殺、⑦ホルモン異常、⑧細胞カルシウム障害

「酸化ストレス」とは、電磁波障害で生体が被害を受けると、体液のpHは酸性（アシドーシス）に傾く。それがさらに活性酸素を活発にして、炎症などのひきがねになる。
「細胞の自殺」は「アポトーシス」と呼ばれる。

つまり、細胞が生命力をなくして死んでいく現象だ。

「細胞カルシウム障害」とは、電磁波照射で細胞内カルシウムが溶出する異常現象。

これら八つの異常の根本的な引き金となるのが、電磁波によるサイクトロン共鳴現象である（122ページ参照）。

ポール博士は、公開講座を次の言葉でしめくくった。

「5G推進は、完全に狂気の沙汰です……」

●科学者たちの反対

ポール博士以外にも、科学者たちが次々と5Gに反対表明している。
「……人類はみずからに害を与えるものを造り出してしまった。それは、もはや制御不能になりつつある。エジソンが電球を発明する前には、身のまわりに、ほとんど電磁波は存在しなかった。現在の電磁波レベルは、自然界のそれを遥かに上回る。さらに電磁波発信する電子機器は急激成長している。それは、細胞を直撃し、早めにわれわれを〝殺す〟のだ……」（マリン・ブランク博士）
「……無線電磁波は、生理ダメージを与える。もはや、議論の余地はない。これら害作用は、すべての生命体にみられる。植物、動物、昆虫、微生物の区別はない。ヒトに対しては、電磁波による明白な発ガンの根拠がある。疑いの余地はない。DNA損傷、うっ血性心不全の前駆症状の心筋症、神経異常も証拠がある。5Gも有害であるのは当然だ。ただ未検証なだけだ。科学は、その事実を知っている。5Gは、人類をモルモットにした研究……つまり人体実験なのだ！」（シャロン・ゴールドバーグ博士）

〝夢の5G〟は、はかない幻想だった……？

●5G構想の幻想と現実

5G構想はいま、官民あげて鳴り物入りで推進されている。

日本では、有名アスリートをCMにつかって、これでもか、これでもか……とばかりに〝5G未来〟の幻想をばらまいている。

4Gから5Gにジャンプする。それが、既成事実であたりまえのように錯覚させる。

しかし、まさにこれこそ〝洗脳〟。

メディアで大々的にバラまかれている〝近未来〟じたいが、怪しくなってきた。

これまで述べた健康被害ひとつとっても、反論できる推進側は皆無だ。

世界で、すでに何百人もの科学者、研究者、医者たちが、具体的に証拠（エビデンス）をあげて、真っ向から5G導入に反対している。

大統領や首相に、反対の抗議書を各国で送り付けている。

反対運動のデモも世界的にまき起こっている。

スイスでは、5G反対を訴える数千人のデモ隊が、国会議事堂を幾重にも取り囲んだ。

その結果、スイス連邦政府は、すでに運用されていた5G施設の使用禁止に踏み切った。

ベルギー政府も「5Gは安全基準を超えている」「国民をモルモットにはできない」と導入禁止を決定した。

●世界で広がる反5Gの動き

「ストップ！5G」――世界中で、市民の間に反対の声が、続々とあがっている。

それは、燎原の火のように、あるいは、波のうねりのように広がっている。

各国5G反対の動きだ――

イタリア：ローマ行政区が「5G導入」に反対を表明。

アメリカ：上院議員が「5G健康被害への懸念」を示す。

米国、カナダ：5G抗議の一斉行動が行われた。キャチフレーズは『5Days of Action』。

カリフォルニア州：サンラフェアルで、大規模デモ。プラカード「5Gを近付けるな！」「かってに5G照射やめろ！」。

ドイツ：議会に「5G電波割当の停止」を請願。
ベルギー：5G導入中止。「市民を守る電波基準が尊重されないなら、5Gであろうと、なかろうと、そのような技術はいらない」「ブリュッセル市民はモルモットではない」「利益を引き換えに、彼らの健康は売り渡さない」（フレモー環境大臣）

そしてベルギー、スイス、スロベニア……と、5G中止、禁止の国々が続出している。

5Gは、ブレイク・スルーにはならない

●性能を打ち消し合う

――5Gは、技術的にもブレイク・スルーにはならない――。
専門家のあいだで、こんな声が公然と上がっている。
その理由はまず、5Gの三メリットが互いに打ち消し合う、という。
①高速性能　②超低遅延　③多数接続
これらは「打ち消し合う」ので、①高速性能も「数十分の一」になる。
だから「ブレイク・スルーにはならない」という結論である。
5G推進側にすれば、頭から冷や水を浴びせられたようなものでしょう。

勇気ある指摘は、まだ続く――。

①「無駄に高速性能をアピールする『DVDが何秒で転送』などは無意味」
②「現在あるLTEの実行速度で十分に転送など可能であり、5Gは不要」
③「遅延が一〇分の一というと劇的な改善に聞こえるがこれもミスリード」
④「普通に作られたシステムではこのレベルの低遅延性は意味をなさない」
⑤「多数同時接続もブレイク・スルーにならない。何十もの接続は非現実」
⑥「5Gがいくら速くても、センター回線価格が安くならない限り無意味」

……正直、IT音痴のわたしには意味不明の箇所もある。

しかし、5Gが宣伝のようにブレイク・スルーにはならないということだけは、ハッキリ判った。

●不要機能はいらない

さらに、5Gの致命的欠陥をあげておく。
それは、もはやオーバー・スペック（過剰機能）技術なのだ。
おそらく、3D立体視テレビと同じ運命をたどるだろう。

同じ〝ガラケーへの道〟を転がり落ちているのが4Kテレビだ。

わたしも六五インチの大画面4Kテレビを買ったが、NHKの4K放送など観る気もしない。

ブルーレイの高画質と4K、見た目にはまったく変わらない。

そして、肝心の4K放送はソフトがお粗末すぎる。

この大型テレビを配送してきた大型家電店の担当者が、いみじくも言った。

「……売っている私が言うのもなんですけど、4Kは普及しないと思いますよ」

まったく、そのとおり。まさに4K・8Kはオーバー・スペック。

これからのメディアはハードよりソフト！　テクニックよりコンテンツなのだ。

5G〝不都合な真実〟――アンテナ群、膨大コスト

●コスト高で儲からない！

「5Gドリームは、幻想だった！」

それは科学者や市民からだけでない。経済界からも声が上がっている。

つまり、ビジネスから見ても、5Gは割が合わない――。

はやくいえば、「コストが高すぎる」「だからペイしない」。

コスト高の最大理由は、膨大なアンテナ群の設置費用だ。

5Gが普及したばあいの街の想像図を見てほしい（134ページ参照）。

とにかく、電柱からビル窓枠、公衆電話ボックスからマンホールまで……5Gミニアンテナが、文字通りところ狭しとばかりに設置される。

そこから、街に、道路に、建物に、マイクロ波がシャワーのごとく照射されるわけだ。

いったい、これだけの膨大な数のアンテナ群を完成・設置させるのに、どれだけコストがかかるだろう。

業界からも、5Gの盲点を指摘する声が上がっている。

「……この巨大なインフラ計画の背景にあるのは、5Gがこれまでの無線通信ネットワークとは異なることだ。第二世代から第四世代の通信基地局は、強力なアンテナを備え、広いエリアをカバーする大型タワーを採用していた。いっぽう、5Gネットワークは、今より一〇〜一〇〇倍の高速通信を実現するため、比較的短距離に届く高周波帯域の電波（マイクロ波）を用いており、より密接に配置された小型の無線ユニットが必要となる」（専門家）

推進企業AT&T社のナイト氏によると、この無線ユニットを少なくとも約二四〇〜三〇〇mごとに配置する必要がある。搭載される小型アンテナは、ピザの箱くらいの大きさだ。光ファイバー・ケーブルで、インターネットに接続され、さらに、おのおの電源につなぐことが必要だ。

セルラー通信工業会（CTIA）によると、二〇一八年には全米三四万九三四四か所に基地局があった。同団体の推定では、5Gが全エリアをカバーするため、二〇二六年までに七六万九〇〇〇か所を追加する必要がある、という。

●完成までに一〇年以上

聞いているだけで、気が遠くなる。

5G基地局は、〝ピザの箱〟サイズだ。それが4G基地局の最大一〇〇倍は必要となる。

そして〝ピザ箱〟にはすべて電源が必要だ。マンホールの穴に設置した〝ピザ箱〟は、どこから電気を取るのだろう？　ビルの窓枠を拝借しても、電源まで拝借できるのか？

電源だけではない。肝心の通信情報は、光ファイバーで〝ピザ箱〟に届けられる。

その工事は、まさに人海戦術だという。

「……アトランタのうだるような炎天下で、約三センチのグラス・ファイバーの束に〝外科手術〟を施さなければならない。一本のケーブルには、ふつう八六四本の絶縁線がふくまれ、それぞれが企業や家庭、携帯基地局とつながっている。まちがった線を切断すると、誰かがインターネットへのアクセスを失うことになる」（『ウォール・ストリート・ジャーナル』電子版）

……AT&Tの責任者ですら、「完成までに一〇年以上かかる」と認めているのだ。

〝スマート〟でなく〝グロテスク〟な未来

●要らないから伸びない

5Gは、ニーズなきところに、無理やりニーズを押しつけている。

「今まで一〇分かかっていた映画のダウンロードが三秒でできる」

これが5Gいちばんの売りだと聞いて、呆れ果てた。

そんなに急いでどうする？　いざ始めれば、ほっておくだけ。三秒も一〇分も変わらない。

テニスのプレーヤーを八つのアングルから見られる、という。いらねぇヨ、そんなの……と
チャチャいれたくなる。臨場感が増す？　ウソだろ。スポーツの観客席は、ワンアングルだ。

だから、臨場感があるんじゃないの？

また、医療では「遠隔診断・手術が可能になる」と聞いて、空恐ろしくなった。

患者を目の前にしないで、どうして、安心の診断や治療ができる？

顔色や皮膚のようすを目前にしての問診、触診、脈診などが医療の基本中の基本だ。

東洋医学は、必ずこうして患者を診ている。

関連の医療機器メーカーや医者が、ひと儲けねらって、5G業者とつるんで焚きつけている
のが見え見えだ。

●スマートでない5G未来

さらに加えて、わが日本での5G普及は、嬉しいことに絶望的だろう。

なにしろ、国土の六割以上が山地だ。山あり谷あり、地方はどこまでいっても山だらけ……。

こんな国土で、直進マイクロ波しか使えない5Gネットワークが、成り立つわけがない。

さらに加えて、東京一極集中の弊害で、全国過疎地だらけだ。山間地、僻地、辺地……そんな場所にまで、約一〇〇mおきの5Gアンテナ設置など絶望的だ。

投下コストが回収できるわけがない。それは、子どもでもわかる。

そうなると、5G普及は人口密集地の大都市圏だけになる。

すると、5Gの売りである自動運転もパーになる。

田舎道に入ると突然ストップ……。もう5G電波がなくお手上げだ。

まさに、コメディの素晴らしき未来世界だ。

公共事業の一つが通信事業だ。基本原則は「格差がない」ことだ。

しかし、5Gは完全に地域格差が発生する。

ぎゃくにいえば、絶対、公共サービスにはならない。

だから、誰も使わない。つまり、普及しない……。

●〝グロテスク〟な幻想

二時間の映画ダウンロードを三秒でやって喜ぶヤツは、それほどいない。

しかし、イケイケの推進側は、冷静な見方ができなくなっている。

「スマートシティ構想」のアドバルーンを政府は掲げ、トヨタなどが賛同している。

5Gの高速通信で〝スマートな未来都市〟！　がうたい文句だ。

しかし、経済評論家の大前研一氏ですら、「トヨタのスマートシティ構想は、スマートではない」と、このかんちがいぶりをこき下ろしていた。

「スマートシティ」の正体は、5Gネットワークによる「監視シティ」である。

それくらい、ふつうの日本人ならすぐに気づく。

そんな大衆〝洗脳〟で5Gを普及させようとしても、ムリである。

専門家は「5G普及で人類二〇億人が〝殺される〟！」と警告しているのだ。

そんな5Gは絶対〝スマート〟でない。

先にあるのは、病人と死人だらけの〝グロテスク〟な未来図だ。

そんなこと、よちよち歩きの赤んぼうでもわかる。

第7章　真の目的は、あなたの〝脳〟のハッキング
――人類（獣《ゴイム》）を〝洗脳〟支配する

コロナと5G――人類家畜化へ二輪の車

●武漢は5G先進都市

「……『今回の新型コロナウイルス騒動と、各国の5G展開が、なんらかの形で関連しているのではないか？』との見方が、濃厚になってきている」

国際ジャーナリスト、ベンジャミン・フルフォード氏は指摘する（月刊『ザ・フナイ』二〇二〇年六月号）。

コロナと5G――何か、つながりがあるのでは？

そう疑問に思い、うたがう人が増えている。

新型コロナウイルスの震源となった武漢市じたい、5Gの最新モデル都市なのだ。

すでに武漢では、五八〇〇か所に5G基地局が整備されている。それは、目標（一万か所）

の半分を達成した……と発表された直後に、新型コロナウイルス騒動が勃発している。

これは、偶然だろうか？

「……つまりは『5Gの周波数帯による人体への影響をごまかすために、新型コロナウイルス騒動が大げさに煽られているのではないか』という疑惑である。もちろん、5Gをめぐる米中覇権争いの一環として『欧米勢が中国における5Gの展開をじゃまするために新型コロナウイルスをばらまいた』という説もある」（同氏）

いずれにせよ、「コロナと5G」の関係は、じつに疑わしい。

しかし、陰謀説が暴走して「5Gアンテナがコロナウイルスをばらまいている」というデマ情報を信じ、アンテナ塔を焼き討ちするなどは論外だ……。

●従属を加速し洗脳する

コロナと5Gは、人類家畜化への二輪の車である――。

この事実においては、わたしの見解とフルフォード氏とはまったく一致している。

両輪なのだから、連動しているのはあたりまえだ。

「……最近も『チベット高原に、およそ一万五〇〇〇年前から存在する氷河から、二八種類の〝未知のウイルス〟が発見された』との調査報告が報じられたのだが、それに伴い、メディアは『氷河の融解が増加するにつれて、未知の病原体が環境中に放出されて、潜在的に人間を危険にさらす可能性がある』などと人々の不安を大きくあおっている。もちろんそれは、新たな生物兵器ばらまきの言い訳であり、脅しである」（同）

コロナパニックは、全人類に〝監視〟と〝支配〟に従属する「免疫」を植え付けた。

これこそ、生物兵器攻撃をしかけた〝闇の勢力〟の狙いである。

コロナは従属へ〝加速〟する。
5Gは、従属へ〝洗脳〟する。

●南アでの洗脳作戦

〝洗脳〟とは、はやくいえばマインドコントロールだ。

つまり、脳をハイジャックする。特殊な電磁波で脳を操作するのだ。

それはすでに、南アフリカなどの秘密警察などが実行し、成功している。

フルフォード氏は解説する。

「……内部告発を寄せてくれた南アフリカの元秘密警察の人間によると、南アフリカの秘密警察は、以前に『黒人の行動規制』を目的とした電磁波実験を行っていた」

国家権力はすでに、電磁波兵器で民衆の精神をコントロールしてきたのだ。

具体的には、どのようにして大衆操作を行ったのだろう？

「特定の周波数で暴動を誘発したり、ぎゃくに沈静化させたりと、大衆をコントロールできることが確認された、という。日本を含め、各国でも同じような社会工学実験が行われている可能性はおおいにあるだろう」（同氏）

猛牛を無線で〝操縦〟したデルガードの実験

●洗脳・支配の大発見

ここで直感的に思い浮かべたのが、「デルガードの実験」である。二八年前、ベッカー博士の『クロスカレント』を訳出するとき、その存在を知って仰天した。

ホセ・デルガード（一九一五～二〇一一）は、スペインの脳科学者である。

「一九七〇年代の初め、脳に埋め込むチップであるステイモシーバーを発明した。一九七四年、アメリカ国内で激しい批判にあい、追放同然にスペインに帰国。マドリード自治大学医学部の教授となった。一九八〇年代には、装置を脳に埋め込まず、外部から電磁気パルスを送ることで、ステイモシーバーと同様の機能をもつ装置を発明した。一九九〇年には研究から引退している」（ウィキペディア）

革新的な発見を行いながら、不遇の学究生活であったことがうかがえる。

●闘牛を鎮めた公開実験

『クロスカレント』に活写された「デルガード実験」は、まるで映画のワンシーンを観るようだった。時は一九六〇年代後半。場所は、なんとスペインの闘牛場である。

観客席では、記者団や研究者たちが、固唾を飲んで見守っている。

デルガード博士はどこにいるかと思えば、なんと闘牛場の一角で悠然としている。

その手には操縦箱のようなものを持っている。

彼が見つめる先には、真っ黒な闘牛がたけり狂っている。

前足のひづめは砂を激しく蹴り、口から泡を滴らせながら、闘牛が博士に向かって突進してきた。しかし、デルガードはまったく動かない。あわや猛る牛の角に貫かれる……と、皆が思った瞬間。牛は突然、急停止した。そして、前足を折ってうつぶせになり、大きな欠伸《あくび》をして眠りにつくように頭を伏せた。観客席の人々は、ただ呆然……。

つぎに、デルガードが手元の操縦箱のスイッチを操作する。

すると、牛は突然立ち上がり、首をかしげる。見物人たちは、わが眼をうたがった。

目の前の学者は、手元の箱だけで、怒り狂う猛牛の喜怒哀楽と行動を、自在にあやつってみせたのだ。

脳の電極で感情・行動をコントロール

●米軍CIAが着目

その謎の鍵《かぎ》は、牛の脳に埋め込まれていた電極にあった。

電極の先端は、脳の喜怒哀楽をつかさどる部位に挿入されていた。

デルガードの手元の〝箱〟は遠隔操縦装置で、無線で牛の電極に電気刺激を発生させていた。

……猛牛を、手元の〝箱〟ひとつで自在にあやつったのである。

デルガード博士は、学者らしからぬ一種のパフォーマーでもあった。

スペイン生まれのラテン気質が、そうさせたのであろうか。

闘牛場での公開実験そのものが映画のワンシーンである。

そして、じっさいに記録映画が撮影されている。学術的な記録として保存を考えたのであろう。しかし、観る者にとってはまさに、衝撃的なパフォーマンスであった。

この実験にもっとも驚愕し興味を抱いたのが、他でもないCIA（米中央情報局）である。

この時点で、博士の実験は、アメリカ軍部のターゲットとして照準を定められたのである。

一九六〇年代、脳の遠隔操作に成功！

●「脳地図」の発見と利用

デルガード博士は、「脳のマッピング」に成功した学者として知られる。

これは、脳の各部位（脳野）ごとの機能地図である。たとえば、喜怒哀楽は脳のどの部位が受け持っているか。それを明らかにするのが「脳地図」だ。その部位に電気刺激を与えることで、お望みの感情を引き出すことができる。感情は即、行動に結び付く。

感情をコントロールするということは、行動をコントロールするということなのである。

それにしても、一九六〇年代に動物の「脳地図」を発見し、それを応用して、電極による電気刺激で動物の行動をコントロール可能とした実験には驚かされる。

良くも悪くも、脳科学の分野における大発見であったことは、まちがいない。

デルガード博士は一九五二年から脳研究を開始し、一九六九年には次のような論文を発表している。

「心の物理学的支配――精神操作社会に向けて」

じつに、そのものズバリのタイトルだ。ＣＩＡが触手を動かすのも、とうぜんである。

「……当初は主に、動物を対象とし、脳に電極を埋め込む手術も行った。その結果、被験動物の脳に電流を流すと、行動を操作できることが明らかになった。睡眠状態から、かなりの興奮状態まで、幅広い効果を導いた。後には、電極を埋め込まないワイヤレス実験でも、画期的な成功をおさめた。つまり、物理的接触をしたり器具を設置したりせず、脳を遠隔操作したのだ。送信する電波の周波数、パルス率、波形を調整すれば、思考や感情を完全に変えられることを実証した」（『電子洗脳――あなたの脳も攻撃されている』ニック・ベギーチ博士、成甲書房）

5Gによる脳の遠隔操作を、世迷い話と笑ってはいけない。

すでに一九六〇年代に、電波によって人間の感情、思考、行動をコントロールする理論と技術は完成していたのである。

●追放……デルガード博士

ベギーチ博士（前出）は、デルガード博士の業績を称えつつも、懸念も表明している。

「……デルガード博士の研究は、多くの研究者の礎を築き、同時に、政府による誤用の可能性も生み出した」（同書）

しかし、デルガード博士その人は、善意と高潔の人であったようだ。

博士は自著に、つぎのような「ユネスコ憲章」の一節を引用している。

――戦争は、人の精神から生まれる。

ゆえに、人の精神にこそ、平和の防衛柵が築かれなくてはならない――

「……博士の研究の背景にはこの思想があり、すべて監視された近未来の支配社会を描いたジョージ・オーウェルの小説『１９８４』を思わせる」（ベギーチ博士）

博士は予感していたのであろう。みずからの発見と原理が、戦争に応用されることを……。それを戒めるために、この文言を敢えて著書に特筆したのだ。

そこには、真相を究明したいと望む研究者としての理想と、研究が悪用されることへの懸念が錯綜している。まさにそのジレンマは、後の脳科学者たちに共通する苦悩となっている。

闇の組織の悪魔的な連中が、この〝お宝〟を見逃すはずもなかった。

後にデルガード博士は、アメリカの学界から追放され失意の帰国を余儀なくされている。

彼は、学術的な成果を盗まれ、用無しとして放逐されたのだ。

それも、動物を虐待したマッド・サイエンティストという汚名を着せられて……。

電波で人間〝洗脳〟！　あたりまえ

●電波で人を支配する

デルガード博士は、帰国してからも黙々と研究を続行した。

彼はインプラント（埋め込み）技術により、公開実験の闘牛にとどまらずサルやネコ、さらには人間も、さまざまなコントロールを可能にした。つまり人体実験でも成功しているのだ。

一九八〇年代には、電極なしで、人間の脳に物理的接触をしなくても、同様のコントロールに成功した。特定の方法でエネルギーを振動させ、被験者の脳に伝達させればよかった。

博士の研究はさらに、人間の脳の神秘にまで肉迫している。

「……一九八五年には、地球が自然発生している五〇分の一しかない波動エネルギーの高周波が、人間の脳の化学物質を劇的に変化させることを突き止めた。デルガード博士は、あるシステムの実験により、『脳の特定部位を電気的に刺激すると、動作、感覚、感情、願望、思考、様々な心理現象を誘発、抑制、修正できる』ことを明らかにした。そして、一九八五年には、遠方から脳へ、地球が自然発生している電磁波の五〇分の一以下というエネルギーの無線信号を送ることで同様の成果を得ていた」（同書）

これはまさに、われわれの恐れる――**5Gによる人間洗脳**――そのものである。

「5G電波で人間が操作される」というと、九九％の人は「ありえない」と一笑に付すだろう。

しかし……無知とは恐ろしい。今から三五年前に、すでに「電波による人間コントロール」の原理と技術は、確立していたのだ。

人間を思いのままに操れる

●超微弱電波でもコントロール可能

「……デルガード博士の発見が示唆しているのは、重要なのはエネルギー量ではなく、『周波数』『波形』『パルス率』だということだ。この点を考慮すると、人体が通常の機能を維持するのに高い電磁濃度を必要としない理由が納得できる。実験のポイントは、被験者の脳や体の適切な〝受信局〟の位置を探知する調整メカニズムを見つけることだった」（ベギーチ博士）

デルガード博士が到達した電波（高周波）による人間コントロール……。

注目すべきは、その電波強度だ。なんと、自然界が発する電磁波の五〇分の一以下の超微弱な電波でも、人間の感情、思考のコントロールが可能なのだ。

「……無気力な受け身の状態から攻撃的な興奮状態まで、あらゆる状態に変えられる。デルガード博士いわく、『電気のスイッチをオンとオフに切り替えるかのように』実行できるという。マインドコントロール技術を追究するＣＩＡについて記した本のなかにも、デルガード博士の研究が論じられている。博士の研究は、一九六九年、ＣＩＡ研究開発室に所属しながら、この技術の実用性を探求していたゴッドリーブ博士が検証した。当時の研究は、まだ荒けずりだったが、ＣＩＡは精神操作社会を築けるかもしれないデルガード博士のビジョンに眼を付け

たのである」（ベギーチ博士）

●二億倍の電磁波の海

デルガード博士の研究を引き継いだR・G・ヒース博士（神経外科医）は、さらに「頭蓋電気刺激が、不安や快楽だけでなく、幻覚をも引き起こし、文字どおり人間を思いのままにあやつれる」ことを発見した。

そこで気になるのは、現在の地球である。

ベッカー博士は、「われわれは〝電磁波の海〟を泳いでいる」と例えた。

電気文明（エレクトロニクス）とは、まさに〝電磁波の海〟そのものだ。

いまや、人類が人工的に造り出した電磁波エネルギーは、自然界が生み出す量の二億倍にたっする……。

現代人は、驚倒する大量の電磁波におぼれそうになりながら生きているのだ。

頭のなかで〝声〟が聞こえる……!?

●頭に〝声〟を送り込む

「頭のなかで人の〝声〟が聞こえる！」

こういえば、まちがいなく精神科医に連れていかれるだろう。

ところが、電波技術でターゲットの人間の頭のなかで〝声〟を聞かせることも可能なのだ。

アメリカ軍部の公式文書は、つぎのように記述している。

「……電磁エネルギー源は、日に日に進化している。その出力において、パルス、波形、焦点に調整ができ、人体に照射すれば、こんなことが可能になっている」

続いて描写される〝効果〟は、ショッキングである。

「……自発的な筋肉運動を阻止し、感情と行動を操作し、眠らせ、指示を送り、短期および長期の記憶を阻害し、一連の経験を、作ったり、消したりする」

さらに、あなたは驚愕するだろう。

「……また、こんな可能性を極度に高めることすらできる。人体内にハイファイ（高忠実度）の言葉をつくりだし、密かに指示を送り、心理的に方向づけをする。ギガヘルツ級の高出力マイクロ波パルスを人体に照射すると、体内にわずかな温度変化が起こる。その結果、かすかに加熱された組織が急激に拡張し、音波が発生する。パルス列を用いれば、体内に人が聞きとれる五～一五キロヘルツの音場ができる。このように、最も苦痛を与える（自分が自分でなくなる）方法で、狙った敵に話しかけることが可能になるのだ」（アメリカ空軍科学諮問委員会『新世界展望：二一世紀に向けた航空宇宙戦力』）

電波で〝声〟を送り、〝指令〟する

●これは5Gそのものだ！

アメリカ軍部の公式文書で、「頭のなかで〝言葉〟を作り出す」と明記している！

ここで見逃せないのは、以下のくだりだ。

「ギガヘルツ級の高出力マイクロ波パルスを人体に照射する」

――これは、5Gに用いられるマイクロ波そのもの。「ギガヘルツ」「高出力」「マイクロ波」「パルス」を「人体照射」……これは、5Gネットワーク構想そのものだ。

「脳内に言葉を発生させ話しかける」「密かに指示を送り心理的に方向づけをする」……!?

まさに、アメリカ軍部も認めた人類〝洗脳〟戦略ではないか！

●人間の脳に命令する

しかし、本当に、狙いをつけた相手の「頭の中に声を聞かせる」ことなど可能なのだろうか？

「……遠方から信号を送り、相手が理解できる特定の音、声などの情報を脳に伝えることは、可能だろうか？　狙いをつけた人物だけが『頭の中の声』を聞き、他の誰にも聞こえない方法で、音声を送ることは可能だろうか？　離れた場所にある電磁装置を使って人の感情を変えることは可能だろうか？」（ベギーチ博士）

そして、博士はこう断言するのだ。

「……いずれの質問にも、私は明快に答えられる。『イエスだ！』。最先端科学の現状をつぶさに見れば、最も楽観的な予測すら飛び越し、今、現在機能しているのだ。軍が公開した文書でさえ、これらの技術は実現可能だと記されている。それどころか、一連の実験、特許、独自の研究を検証すると、現在すでにそうした技術が存在することを裏付けている」

■マイクロ波アンテナを横にした兵器

写真 7-1

●高指向性ビーム砲

ピンポイントで標的を狙う。

そして、ターゲットの脳だけに声を受信させる「高指向性ビーム砲」も、すでに完成している（**写真7－1**）。

これは、米陸軍が開発し実戦配備している「対人非致死性兵器」（ＡＤＳ）。車両上部に掲載するパラボラアンテナから高周波の高指向性ビームを発射し、敵兵を攻撃する。敵兵は、頭痛・鼻血・意識障害を起こし、戦闘不能となる。電波を浴びた敵兵が、バタバタ倒れるのだ。これを軍部は、「サイレント・サブリミナル能力」と呼んでいる。

これはまさに、放送タワーから放送電波を周囲に放射しているのと同じ。東京タワーやスカイツリーが電波を放射しているのは、この電波兵器とまったく同じ原理だ。

いっぽうで、目前の東京タワーやスカイツリーを「素敵な風景！」と喜んでいるのは、コッケイというより、恐ろしい。

おまけに日本の電波安全基準は、世界でもっともユルい。

世界で一番きびしい被ばく基準の六〇万～一〇〇万倍……。そら恐ろしくなる。

子どもに鼻血や頭痛が多発するのも当然だ。

それは、対人兵器に使われている攻撃用の高周波と同じなのだ。

●頭の中の音が暗殺誘導

有害高周波を発するだけでない。敵兵の頭のなかに〝声〟や〝音〟を送り込む兵器も開発されている。開発されたのは一九七四年である。

「……音が被験者の頭部から脳組織吸収体に伝わることが確認された。つまり、この吸収体が変換器の役目を担い、マイクロ波エネルギーを音声信号に換えるのである。われわれの知るかぎり、この研究結果はまだ文献として発表されていないが、マイクロ波パルス信号の聴力媒介

メカニズムとして機能を果たすだろう」（開発論文より）
「米連邦議会・議事録」にも、公式記録されている。
「……A・フレイ博士とJ・シャープ博士は、音信号の実験を行った。シャープ博士はみずから被験者となり、送信されたマイクロ波アナログ信号がスピーカーの音振動を介して聞こえただけでなく、言葉として理解できた、と報告した。ノーベル賞に二度ノミネートされたロバート・ベッカー博士は、これらの研究にたいしてコメントを発表した。『こうした装置は、メッセージを伝えて標的を狂わせたり、検知不能な指令を送って暗殺を誘導したりする機密作戦に適用されるにちがいない』」

イラク兵は、なぜ降伏したのか？

●密かな電子テレパシー

ベギーチ博士は一九九八年、欧州議会で証言した。

そのとき、委員たちの前で心理操作装置の実験を行ってみせた。

「……装置は、四〇年近く前のデザインだったため、作動させるのに（被験者に）物理的接触を必要としたにもかかわらず、出席者たちは仰天した」

このマインドコントロール装置の存在は、極めて重要な分野である、と博士は主張する。

「……なぜなら、『政治操作の究極兵器』を暗示しているからだ。通常の情報選別メカニズムを超え、人間の脳に直接情報を送り込む技術だからだ。それはまさに『電子テレパシー』である」（同博士）

この「電子テレパシー」を、すでにアメリカ軍部は実際の通信に使用している。

一九九五年、ペンタゴン（米国防総省）は、以下に記す「契約書」を締結した。

「マイクロ波聴覚効果による通信」――締結機関：国防総省
〈中小企業技術革新研究プログラム契約番号：F41624-95-C-9007〉
【標題】マイクロ波聴覚効果による通信
【解説】傍受されにくい高周波通信手段を可能にする革新的かつ革命的な技術を記す。
実用化については、ノイズの少ない実験室で高出力高周波送信機を用いて立証した。
捜索救助、治安、特殊作戦など多くの軍事適用が考えられる。

電波による「電子テレパシー」の軍事通信は、都市伝説などではないのだ。

●湾岸戦争で初めて使用

これら「電子テレパシー」通信は、研究室で証明されただけではない。

すでに実戦の戦場でも、電磁波を利用して〝戦果〟を上げている。それが、一九九一年の湾岸戦争だ。

イラク兵たちはそろって降伏してきた。彼らに武器を捨てさせたのは、爆撃ではない。米軍は密かに、この電磁波兵器を使用して彼らの脳に〝声〟を送り、イラク兵たちの戦意を喪失させたのだ。

ベギーチ博士は徹底した調査を実施し、以下の「報告書」を発表している。

「……イラク兵たちは、極高周波（マイクロ波）の『サイレント・サブリミナル（非致死性兵器）』の照射で投降したのである」

具体的には、米軍は敵側イラク兵たちの頭に、マイクロ波で〈湾岸の声〉と題する〝音・声・〟を送り込んだのだ。

以下――。博士の報告書である。

「……〈湾岸の声〉は、コーランの祈りや好待遇を受けていたイラク人捕虜の証言とともに、毎日、爆撃を受けていた部隊に関する正確な情報を放送し始めた。さらに無音の心理学的最新技術が兵士らの心に強い恐怖感を生み出した」

「……脱走したイラク兵の話によると、もっとも破壊的で士気を奪った作戦は、アメリカ軍が初めて実戦使用した極高周波（マイクロ波）の『サイレント・サウンド』あるいは『サイレント・サブリミナル』と呼ばれる最先端技術を駆使したサブリミナル・メッセージだった」

「頭痛」「鼻血」「吐き気」……5Gで起こる

●コマンド・ソロ作戦

以上のように、マイクロ波発信装置で、敵兵に〝脳内信号〟を送り込み、戦意喪失させて降伏させる……という戦果を上げている。

電磁波兵器は、恐怖感を敵兵に与える以上の効果もあった。

強力なマイクロ波攻撃は、イラク兵に「頭痛」「鼻血」「吐き気」「意識障害」……などのダメージを与えていたのだ。

これらを引き起こす電磁波兵器を、米軍は「非致死性兵器」と呼んでいる。

つまり、死なないていどに苦しめる……。アメリカ軍の歴史でも、初めての作戦だった。

実戦に導入したのはアメリカ空軍である。呼び名は「コマンド・ソロ作戦」。

まず、巨大なEC－130輸送機を「通信局」として敵上空に送り込む。そこから地上の敵に、マイクロ波発信機を用いて、敵兵の頭のなかに〝プロパガンダ〟を送りこんだ。

それだけではない。精神と感情の操作技術を、電波に乗せて照射したのだ。

●次は5Gの出番だ

ベギーチ博士は、深く憂慮する。
ある特定の集団を狙って洗脳マイクロ波を照射する。
それは、一種の「電子強制収容所」ではないのか？
この技術を、どこかの政府が自国民を鎮圧するため用いるのではないか？
敵対国に先制攻撃をしかけるために使われるのではないか？
どこかの企業、組織、個人などが、その洗脳装置を使うとしたら……。
博士の心配は的中した。それが、5G導入である。
従来の4Gの一〇倍以上のパワーで、全地球を覆い尽くす。
使われるギガヘルツのミリ波は、まさに、米軍が発見した〝洗脳〟周波数帯だ。
ベギーチ博士が目撃し記録した、湾岸戦争当時のイラク兵たちの惨状を見よ。
異常なマインドコントロールと体調不良が、同時に人類に襲いかかってくる。

思考、感情を盗みとる〝脳ハッキング〟

●何を考えてるか見抜ける

これまでは、電波で〝声〟を送り込んだり、感情や行動をコントロールする技術について触れてきた。

電子洗脳の技術は、それだけではない。

相手の脳に潜入して、その〝情報〟を読み取ることすら可能なのだ。

「……『電子テレパシー』と『読心技術』によって人間に影響を及ぼすという概念は、実現可能であり、技術が発達するにつれさらに改良されつつある」（『電子洗脳』前出）

相手の脳をハッキングして、何を考えているのか？　その情報を盗みだす。

そんなSF小説のようなことが、すでに可能となっている。

「……一九九六年、ジョージ・オーウェル流の最新技術が登場した。人間の感情に関与する情報の遠隔操作である。この技術を利用すれば、対象者の内部感情を可能なかぎり引き出し、今後の行動が予測可能となる。ある人間の表面的な態度の壁を突き抜け、直接、脳に入り込み、『何を考えているのか』見抜くことができるのだ」（同書）

脳ハッキングは、次のように行われる。

「……あらかじめ設定された周波数と強度を持つ波形エネルギーを発生させ、遠くにいる対象者にワイヤレス（無線）で送信する。対象者から発生する波形エネルギーは、自動的に検知、分析され、感情に関与する情報を引き出す。血圧、心拍数、瞳孔のサイズ、呼吸数、発汗レベルなど、生理学および物理学的パラメーター計測して基準値と比較し、生体反応や、安全を脅かす犯罪の意志があるかどうかを評価するための有益な情報を入手する」（「米国特許　550

7291、1996・4・16」）

●相手の意識を支配

相手の脳をハッキングすれば、次に、〝洗脳〟が可能となる。

つまり、ターゲットに思い通りの行動を取らせて、意のままにあやつることもできるのだ。

ベギーチ博士は解説する。

「……かんたんに言えば、脳の活動を、人間の『感情』『思考能力』『知的様式』を読み解くために解析するのだ。そして、第二の信号をつくって脳に戻せば、本来の信号を制して、脳のエネルギーパターンを変えることができる。これは『脳の同調』と呼ばれ、意識の変化をもたらす。また、直接的な『記憶移送』技術にもつながるだろう」

科学誌『ネイチャー』は、脳ハッキングの危険性に警鐘を鳴らしている。

「……神経科学は、潜在的な危険を持ち合わせている。『脳画像』の進化は、すなわちプライバシーをいちじるしく侵害する。やがて、あたりまえになり、遠隔操作も可能になるだろう。個人の自由への侵害、行動の支配、洗脳といった悪用への道を切り開いてしまうのだ」

5Gは米軍開発の〝高周波兵器〟そのもの！

●大量殺人兵器になり得る

「高周波（マイクロ波等）が、人体にどんな影響を及ぼすか？」

アメリカ空軍の克明な報告書がある。

「……重要かつ新たな情報が、高周波照射による破壊現象である」「技術開発競争が続くなか、生体に対する高周波照射の作用メカニズムや影響が明らかになった。電磁波パルスを浴びた人間のもろさである」「敵を無力にする技術開発目的と実践法を明確にする」

そこでは次のように強調されている。

「……特殊装置で発射される高周波は、強力かつ革命的な対人兵器となる。電気ショック療法が示すように、電流を使用すると短時間、完全に精神機能を中断できる。また、長期間、情報を記憶したり、かなり経ってから情緒反応を呼び覚ましたりできる。脳に与えられた電磁場が、目的をもった行動に混乱を生じさせたり、行動を指示したり、探ったりできる可能性が高い。さらに、心筋に一〇〇ミリアンペアの電流を流すと、心拍停止や死亡を引き起こしたりできる。これも（マイクロ波）光速兵器の効果を示唆している」（米空軍報告書）

電流でターゲットに心臓マヒを起させる……など、生々しい。

高周波はまさに、大量殺人兵器にもなるのだ。

●低出力ミリ波で〝攻撃〟

空軍報告書はさらに、「高周波兵器の開発」について、次のよう記述している。

「……第一の目的は、熱効果と電磁波による人体の機能低下である。第二の目的は、精神状態の操作と探査である。敵の外部に設けた電磁場を利用し、紛争勃発の前に、敵の攻撃を阻止する。あるいは情報収集する。これら革命的手段が可能となる」

「……高周波高速照射システムを使用すれば、広範囲にわたって、人体に重大な影響を与えたり、殺害したりできる。効果は、波形、電磁場の強度、パルス幅、反復率、搬送周波数によって決まる。生体組織や動物を使った実験を重ね、さらに、メカニズムや波形による効果の調査と重ね合わせれば、完成度が高くなるだろう」（空軍報告書）

空軍のプール・タイラー大佐は、さらに論文でこう付言している。

「……電磁波は、従来の理論では予測不能な生物学的な効果を示す。たとえば、低出力ミリ波が、生物学的な反応を引き起こすことが証明されている。この生理効果は、低出力だけでなく、特定周波数で起こることも解明されている」

これは、５Ｇに使用されるミリ波が、微弱でも特定周波数を与えると、予測不能の生体被害を起こすことを明言している。

●人間破壊と殺人に使うな

この〝高周波兵器〟は、そのまま〝5G兵器〟と言いかえることができる。

われわれは、現実を憂えるベギーチ博士の、心からの告発に耳を傾けるべきである。

「……この種の実験で、大変遺憾なのは用途である。高周波照射などのエネルギーを使って、人間の能力を向上させるどころか、人命を奪うというのは道徳に反する。軍は人を癒し、健康を改善させるエネルギー科学の新たな方向性を考慮していない。真実の歪曲であり、人類に対するひどい仕打ちである。現代、医療費が増大し、大規模な紛争の脅威が減少しているというのに、アメリカ政府は人間の暮らしを豊かにしようとせず、殺人のために数十億ドルを費やしている」

そして、博士は嘆くのである。

「残念ながら高周波は破壊目的に使用され、豊かな人生に科学を取り入れるという側面が全く無視されている。電磁照射を利用した生命科学の研究は、主流医学とは別の道を進んでいる」

〝音声兵器〟米軍、ネットから謎の削除

●「脳内音声技術」の〝不都合な真実〟

ここまで、5Gは〝洗脳〟兵器である――と告発してきた。

アメリカ軍部が、敵兵の頭のなかに〝声〟を高周波兵器で送りこんでいる、という現実にビックリした人も多いはずだ。

これに関連して、サイト「WIRED」で次のような記事を見つけた。

「米陸軍『脳内で音声を発生させる技術』ウェブページの謎」

不思議なタイトルだ。内容は次のとおり。

「……聴覚を介さず、頭蓋内に音を直接送信できるという『Voice-to-Skull』（脳内音声）技術。米陸軍のサイトが、この技術について定義した項目を掲載していた。すでに削除された同項目によると、この技術を使えば、潜在意識に訴えかける音声メッセージを人々に送ることも可能だという」

これは、わたしがこれまで述べてきた高周波発信装置のことだ。

それが、突然〝削除〟とは不可解……。まさに、〝不都合な真実〟であり、人類に知られてはマズイ、ということで削除されたのであろう。

●「恒久的に削除」の謎

以下、同サイトより。

「……『V2K』（「Voice-to-Skull」（脳内音声）の略）という技術を使った兵器に関して、米陸軍が作成していた実に奇妙なウェブページが削除された。このウェブページが存在していたこと自体も奇妙だが、削除されたことはさらに奇妙だ。『Google』で検索すると、『Voice-to-Skull device』（脳内音声装置）を定義した項目の米軍サイトのページがヒットするが、リンクをクリックしても『ページが見つかりません』と表示される。米国科学者連盟（FAS）の、政府の機密や防衛政策に関する文書を集めたウェブサイトでは、問題の項目を掲載していたページの写し、脳内音声装置の定義を、現在でも公開している」

その定義とは――

「……（1）パルス波形にしたマイクロ波を照射することで、人または動物の頭蓋内に〝音〟をマイクロ波送信する電磁神経刺激装置、および、（2）人または動物の頭蓋内に〝音〟を送信できるサイレントサウンド（耳に聞こえない音）装置などを含む非殺傷型兵器」

さらに記事はこう続ける。

「最初にウェブページが削除されていることに気づいたのは、イギリスの団体『マインドコントロールに反対するキリスト教徒』だ（同団体は削除される前のウェブページのスクリーンショットも保存している）。同団体の代理人の話では、ウェブマスターに連絡を取ったところ、問題の項目は『恒久的に削除した』とだけ言われたという」

5Gは地球を覆う〝神の声〟になる？

同団体が保存していた画像には、次の解説が添付されていた。

「……『V2K』兵器が、どのように機能するか？　耳に聞こえない（音声FMI変換した）催眠術を送信する方法。音声周波数変換器を使って『音声』を生成し、パルス状のマイクロ波として離れたところから脳内に送る。出力はおおよそ連続音になる。耳鳴りに似ているが、催眠術者の声が埋め込まれている。下図（略）は、人間の脳が感知できる周波数のマイクロ波信号の短パルスひとつに該当する……脳はこの連続したマイクロ波パルスを変換し、『耳では聞こえない音声』を聞く。このような催眠に対する防衛は不可能」（一部改変）

●5G普及の邪魔……？

この〝音声兵器〟の存在を、米軍が闇に消し去った理由は、ただ一つ。

5G普及の妨げになるからだろう。

なぜなら、これまで述べたように、この〝音声兵器〟に使われるギガヘルツのマイクロ波と、5Gに用いられるマイクロ波の周波数は、まったく同一なのだ。

こんな情報を上げていたらだれでも、5Gが普及したら〝頭の中に声〟を送り込まれる……と気づく。

そこで米軍は急きょ、「V2K」兵器の存在自体を消し去った……。

●イラク兵に「アラーの声」

同じく「WIRED」に、「電磁波・神の声兵器」に関する記事が掲載されている。

「……人の脳そのものに声を伝え、神に語りかけられた、と思い込ませる装置、いわゆる『神の声』兵器は、軍事の世界では都市伝説となっている。防衛関係のワークショップで、定期的に触れられては、決まった誰かが、すでに実用化されている、とひそひそ話しだすのだ。S・コーマン氏は、最近の『COMOPS journal』の記事で、この都市伝説との遭遇を詳述している。記事から引用する。

――この前、政府のワークショップで、『アラーの声』という新しい装置の説明を聞いた。『遠くから一人だけに、メッセージを伝える装置』だという。イラクで反乱軍の一人をターゲットをテストしたところ、その一人が急にあたりをキョロキョロ見回し、メッセージを聞いていない仲間たちと激しいやりとりを始めた、という話だった。私は半信半疑でこの話を聞いた。

この技術の原理は、何だろう？

アメリカのホロソニ・リサーチ・ラボ社とテクノロジー社が、それぞれ、音を特定の方向に導く技術を持っている。いずれも集団の一人だけにメッセージを聞かせることができる。ペンタゴン（米国防総省）のＤＡＲＰＡ（ダーパ、国防高等研究計画庁）も、音を発射する技術を開発しているようだ。

米軍が長距離音響装置（ＬＲＡＤ）『神の声兵器』として、使っている、という興味深い話もある。『Strategy Page』から引用する。

――イラクに駐留する複数の部隊が、ＬＲＡＤの『話し声』で、敵をもて遊んでいるようだ。イスラム教徒のテロリストは迷信にとらわれる傾向があり、当然ながら信心深い。ＬＲＡＤを使用すれば、彼らの頭の中に『神の言葉』を送り込むことができる。もし、自分にしか聞こえない声で、神から降伏や退散を命じられたら、どうするだろう？」（以上）

5Ｇで暗殺誘導、幻影映像なんでもあり

●頭の中で「レノンを殺せ！」

「神の声兵器」は卑劣な武器というしかない。〝神の声〟を偽装して敵をあざむく。

敵の信心を利用して、知覚や精神をもてあそぶ。卑怯千万というしかない。

耳で聞こえない〝音声〟を、マイクロ波操作により〝脳内〟で聞かせる――。

この行為が〝洗脳〟そのものだ。プライバシーどころか重大な人権侵害だ。

5Gネットワークが完成すると、その〝洗脳〟システムも完成したことになる。

そして、攻撃ターゲットも個別に選びだせる……というから恐ろしい。

ターゲットを選ぶと、その頭のなかに、マイクロ波で〝ささやき〟を送り込む。

選挙の投票行動から商品の購買行動まで、自由に催眠暗示の〝声〟で支配できるだろう。

もっと恐怖なのは、ベッカー博士が懸念していたように、犯罪や自殺なども自在に引き起こせることだ。さらには、暗殺まで誘導できる。

思い出すのが、ジョン・レノンを背後からピストルで撃った暗殺犯チャップマンの取り調べ時の供述だ。

「頭のなかで四六時中、レノンを殺せ！　レノンを殺せ！　という言葉が鳴り響いていた」

まさに、「神の声」ならぬ「悪魔の声」である。

●ブルー・ビーム作戦

5Gネットワークが世界中に完成したら、全人類の脳に、この「悪魔の声」を送り届けることが可能になる。まさにそのとき、地球は〝悪魔〟に支配されるのだ。

さらに、つぎなる悪夢がある。

それは、イルミナティが企んでいる〝ブルー・ビーム〟作戦だ。

これは、空中に3Dホログラフの立体映像を映しだして、集団〝洗脳〟する技術だ。

UFOやキリスト再臨などの映像をリアルに映しだせば、普通の人々は、熱狂し、狂信するだろう。大衆扇動と人心掌握に、これほど効果的な〝洗脳〟装置はない。

〝ホログラフのキリスト〟に語りかけさせればいい。

大衆は涙を流して感動するだろう。

こうした集団〝洗脳〟に、5G大容量・高速通信パワーは、おおいに威力を発揮することだろう。

終章　コロナ、5Gに打ち勝つ生命力をつけよう！
――少食、菜食、長息、筋トレ、笑い……かんたんヒーリング

●無症状者八割になろう！

新型コロナもけっして怖くはない。それは、ふつうのインフルエンザなみである。

そのことが、ばれている。感染しても、五人に四人は発症していないのだ。

発病する人としない人の差は、免疫力だ。それは、生命力と言いかえることができる。

生命力の差を決定づけるのが、食生活だ。

「……ニューヨークでも、下町ブルックリンと山手マンハッタンでは、コロナ死は二倍以上の差です。それは、食生活の差です。下町の黒人、ヒスパニックはハンバーガーなどジャンクフードでぶくぶく太っている。マンハッタン高学歴層はヴィーガン（完全菜食）も多い。まあ、情報の差が、コロナ死の差になっている」（鶴見隆史医師）

コロナ感染と死亡が多い国ほど、食生活がまちがっている、という。

「とくに動物たんぱくがイカンですな。イタリアなど、パスタにハム、チーズ食べ放題で丸々太っている」

鶴見医師は、来院した患者にはまずヴィーガン食（完全菜食）をすすめている。

そして、ファスティング（断食療法）を指導する。

しかし、ヴィーガンとかファスティングというと、いまだ日本では〝奇人〟あつかいだ。

いっぽうで、海外では一〇年で一〇倍という勢いでヴィーガンが激増している。

ここでも、日本は、世界の落ちコボレである。

●生命力アップ一五カ条

コロナに打ち勝つ、そして5Gにも負けない。

そのためには、一にも二にも、生命力（免疫力）を高めることだ。

わたしが、日々実践している方法をおすすめする。

（1）少食：わたしは一日一食だ。朝昼は食べない。
ヨガの教えに「腹八分、医者いらず」「腹六分、老いを忘れる」「腹四分、神に近づく」とある。

空腹になるほど若返り、長寿遺伝子がオンになり免疫力が上がる。

「カロリー理論」など近代栄養学（フォイト栄養学）はペテンでした。

火傷した犬の実験では、「断食」した犬は二倍速で回復します。

「断食は万病を治す妙法」（ヨガ奥義）。コロナ患者を重症化させている原因の一つが、点滴による〝栄養〟補給なのです。

（2）菜食：わたしは自宅では完全自炊。それもヴィーガン。魚も卵も乳製品も食べない。だから、食費は一日一〇〇円前後です。七〇歳を迎えましたが、いまだ髪は真っ黒です。
一九五八年、アメリカ男性の前立腺ガン死は日本の四〇〇倍！　七八年、アメリカ女性の乳ガン患者はケニアの八二倍です。腰を抜かす大差の理由は、「当時の日本、ケニアに欧米食がなかった」。つまり、現代人の万病の最大原因は、動物食中心の欧米型の食生活にあります。

しかし、何を食べるべきか？　九割以上の人が政府、教育、メディアにだまされています。

〝洗脳〟は、コロナ、5Gだけではない。

（参照、拙著『肉食は8倍心臓マヒで死ぬ』『フライドチキンの呪い』共栄書房、『牛乳のワナ』ビジネス社。食べまちがいは生きまちがいです。この三冊があなたと家族の未来を救います）。

（3）長息：「一生に食べる食物の量は決まっている」「一生に吸う空気の量は決まっている」。
これもヨガの教え。「少食長寿」「長息長命」は東洋の英智です。

わたしは禅の行法「数息観《すうそくかん》」を実行しています。吐く息を心の中で数えます。毛細血管が開き、冷え性、肩凝り、白髪は劇的に解消します。むろん、免疫力もはねあがります。

(4)筋トレ:筋肉からは若返りホルモン(マイオカイン)が分泌されます。それは筋肉量×運動量にしたがって放出されます。だから、鍛えている人は若々しい。筋肉は老化しないが退化する。日々、鍛えることが必要。「筋肉は裏切らない」「還暦すぎたら本気で筋トレ」「貯金より貯筋!」——五秒以上、筋肉に思い切り力をこめる「静的筋トレ」(アイソメトリックス)をおすすめします。

(5)笑い:笑わない人の死亡率は、笑う人の二倍です(山形大医学部)。笑わない人の認知症は三・六倍(福島医科大学)。笑うと、ガンと戦う免疫細胞が六倍も増えます。
笑いは、最高の健康法であり長寿法です(参照『笑いの免疫学』花伝社)。

(6)緑茶:お茶を飲むと胃ガンは全国平均の二割。抗ガン作用がきわめて高い。
緑茶はコロナも撃退する超健康飲料。欧米にくらべて喫煙率が高かった日本人に肺ガンが少なかった理由の一つが、緑茶の習慣といわれています。

ぎゃくにコーヒーには二種類の発ガン物質が確認されており、米カリフォルニア州では「発ガン警告表示」が義務づけられています。

しょうが茶など民間の薬効茶も体を温めるので、コロナ対策にはおすすめです。

(7) 海藻：一〇〇年前に猛威を振るったスペイン風邪の流行時、日本人に比較的死者が少なかった原因の一つに、コンブなど海藻食があげられています。海藻類には、平均してガンを三分の一抑制する、抗ガン効果が確認されています（参照『和食の底力』花伝社）。

(8) 豆食：わたしは三〇年以上、肉を買ったことがありません。肉売場は完全スルー。そのかわり、豆類をよく食べます。多く水煮して、冷凍保存して、いろんな料理にいただきます。豆は〝畑の肉〟ですよ。

アメリカ政府が推奨する抗ガン食材の一位が大豆！　ちなみに、WHO（世界保健機関）が五段階評価で一位に上げた発ガン物質は、ハム、ソーセージなどの加工肉。アスベスト並みの最凶発ガン性です。上から二番目の発ガン食品は、赤肉でした。アメリカの日系三世の大腸ガン死が母国日本の五倍！　肉類が最凶発ガン物質だから当然です。本来なら法律で販売禁止があたりまえ（！）なのです。

(9) 摩擦：毎朝、起きるとパンツ一つで、シュロのタワシでゴシゴシ全身摩擦します。血行促進で、肌もすべすべ気持ちいい。真冬でも薄着ですごせます。免疫力も格段にはねあがります。

(10) 日光浴：ベランダのデッキチェアで、真冬でもパンツ一丁で日光浴します。だから、冬でも全身日焼けしています。

目的は、ビタミンDの生成です。それが骨を丈夫にしてくれます。

日本の子ども、老人に骨折が多い。それは、給食で牛乳を強制されているからです。牛乳を飲むほど骨折が激増します。もはや常識です。

なのに、日本ではまず栄養士、医師が〝洗脳〟されている。まさに、サルの列島……？

(11) 音響チェア：これで波動医学を実践しています。

スピーカーの前面に設置された「中空ストローファイバー」による「倍音」効果で、「自然音」がよみがえります。

二五〇〇年前のピタゴラスは、「音響が病気を治す」と強調しています。

波動療法は、人体各部の個別周波数を診断し、調整して「病気」を治します。

ちなみに中国は、認知症治療に、危険な薬物療法をみかぎり、「音響チェア」療法にシフトしています。「音響チェア」の波動と温熱効果は、ガン、糖尿病などにもめざましい効果を発揮しています。（問い合わせ：℡03-5487-0555）

⑫ナノミスト・サウナ：二一世紀医療を変えるかもしれない〝治療機〟です。

わずか二〇分、約四〇℃の浴室で、マイナスイオンのナノミストを吸い込むだけで、酸性血液は弱アルカリ性に変化し、どす黒い血液も鮮紅色に！　くっついた赤血球がバラバラになり、末梢循環が改善されます。ガン、糖尿病、心臓病から難病まで、元凶は血液の微小循環不全なのです。（問い合わせ：TEL０２５６-３２-２１１１）

⑬入浴：日本人に新型コロナの死者が少ない理由の一つ。清潔好きの国民性は、感染症対策にもなっています。わたしは、沸かしおきで朝昼入浴することもあります。入浴の温熱、リラックス効果は、免疫力を高めます。

⑭解離水：わたしが体験した整水器で、これがベスト。田んぼは、雷が落ちるほど稲は豊作です。他の作物も同じ。この原理を応用した「活水器」。水は信じられないほどソフトで美味しい。お茶、料理の味も見事に変わる。生け花は、一か月以上水も変えないのに生き生きとしていたのにはビックリ。（問い合わせ：TEL０４８０-５３-７２２７）

⑮感謝：これは、生きるうえで最上の知恵です。「ありがとう」は魔法の言葉です。確実に免疫力を高めてくれます。感謝力は健康力なのです。病気を近づけず、運気を呼び寄せます。

コロナも5Gも、われわれに気づきのチャンスを与えてくれた、ありがたい存在です。深く感謝しながら、それを乗り越えていきましょう！

――以上、わたしの健康法です。なにごとも続けること。継続こそ力なのです。

新型コロナウイルス騒動は、わたしたちの生き方を見直すチャンスです。

コロナにも感謝しながら、日々、ゆったりと実践していきましょう！

エピローグ　コロナも５Ｇも、壮大な喜劇である
——あやまちを、くりかえしてはならない

●致死率〇・一％、インフルと同じ

コロナはコメディである。５Ｇはブラックコメディである。

どちらも、壮大なる茶番劇だ。

われわれは、そのバカバカしいお笑い劇を、腹の底から笑い飛ばすべきである。

新型コロナの死亡率は、わずか〇・一％にすぎない。

一〇〇〇人感染して、わずか一人死ぬだけだ。

ふつうのインフルエンザと、まったく同じだ。

たかだかインフルエンザで、いま、全世界は国境封鎖している。

都市はロックダウン。あらゆる店舗は営業禁止。市民は外出禁止。

人に近付くな。出歩くな。集まるな。マスクを着けろ。警官の指示に従え！

インフルエンザは毎年流行する。

そのたび、国境封鎖か？　ロックダウンか？　外出禁止か？　そんな馬鹿げた話はない。

しかし、そんな馬鹿なことを、いま、世界をあげてやっている。

おかしいと思わないか。人類は、ここまで馬鹿なのか！

コメディはつづく。

●PCR検査、「偽陽性率」八〇％

連日、世界の新型コロナ〝感染者数〟が発表される。

感染を判定するのはPCR検査だ。

ところが、その検査の発明者キャリー・マリス博士は、こう断言している。

「PCRを感染症〝診断〟に使ってはいけない」

なぜか……？

「あまりに不正確すぎる」

その理由、「偽陽性率」が八〇％……！

非感染者五人をPCR検査したら、四人は〝陽性〟にされる。

だから、情報のネタ元ジョンズ・ホプキンズ大学の数値自体がデタラメなのだ。

さらに、欧米各国は〝コロナ死〟を必死で水増ししている。

「コロナ陽性者の死は、全て〝コロナ死〟とせよ」（CDC：米国疾病予防管理センター）

つまり、〝陽性〟もデタラメなら〝コロナ死〟もデタラメ。

〝陽性〟者が、バスに轢かれて死んでも、〝コロナ死〟か……⁉（笑）

笑い話ではすまない。アメリカでは通常のインフルエンザ死者、肺炎死者が急減している。

そして、〝コロナ死〟が急増している。

まさに、〈死ぬ死ぬサギ〉が、世界中で横行しているのだ。

そして、偽情報がメディアで垂れ流されている。人類は、その恐怖に怯えている。

なぜか……？

●ワクチン利権、世界恐慌、世界大戦

彼らの狙いは、「世界恐慌」と「ワクチン利権」だ。

前者で失業者を大量に生み出す。軍隊が大量雇用する。軍国主義に突入させる。

世界をブロック化する。食料・資源で対立させる。そして、第三次世界大戦を勃発させる。

大量の人口削減、金融・軍事でぼろ儲け。〝闇の支配者〟イルミナティは万々歳だ。

後者は、コロナ恐怖を植え付ける。全人類にワクチン強制する。

中には不妊剤、神経毒、発ガン物質、マイクロチップ……なんでも入れ放題。おまけに、ワクチン費用は国家が支払う。取りっぱぐれなし。製薬マフィアはボロ儲け。〝やつら〟はみんな〝闇の支配者〟の手下だ。

そして、不妊症、ガンや難病多発、精神異常が急増……あとは、ゴイムを地球〝人間牧場〟で飼うだけだ。これで新世界秩序（ＮＷＯ）の家畜社会も完成する。

●5G普及で二〇億人が死ぬ！

5Gはブラックなコメディだ。

「電磁波で、ガン、奇病、精神病、不妊が噴出する」

識者たちは、必死で警鐘乱打している。

「普及すると二〇億人が死ぬ」

「人類は地上から消滅する」

「発ガンはタバコと同じ」

赤ん坊や子どもにタバコを吸わせるか！

電磁波は**①発ガン、②ガン増殖、③催奇形、④免疫異常、⑤自殺・精神異常、⑥不妊症、⑦突然変異、⑧発達障害、⑨ストレス、⑩生理リズム破壊**……などの健康破壊を行なう（R・ベッカー博士）。

そして、5Gの電磁波強度は4Gの一〇〇倍……！

約一〇〇mおきにアンテナが林立、乱立する。赤ん坊も、子どもも、だれも逃げ場はない。

5G試験電波でムク鳥が各地で何百羽も墜落死している。

牧場で牛がバタバタ倒れている。

5Gスタート直後から、子どもたちをパニックが襲った。

鼻血、悪心、嘔吐……が続出（ウィーン国際空港）。

●〝自動運転〟市街地出たら進めない

そして、5Gもやはり喜劇チックだ。

最大の売りの一つが〝自動運転〟だ。

しかし、国土の三分の二が山地の日本に、約一〇〇mごとアンテナ設置が必要な5G普及は、逆立ちしても不可能だ。つまり、5Gは密集市街地のみに限定される。

だから、〝オート・ドライブ・カー〟は、都市部を出た瞬間ストップ！

「電波が届きません。これ以上進めません。自分で運転してください」

なにが夢の〝自動運転〟だろう？

コロナ同様、5Gもツッコミどころ満載である。

しかし、笑っているばあいではない。

このままだと、コロナに騙され、5Gに侵されてしまう。

そうすれば、人類そのものがオシマイだ。あとは、次第に絶滅していくのみ。

子どもや孫たちの未来は、真っ暗だ……。

自由も命もカネも奪われる。気がつけば肩に鉄砲を担がされている。

祖国の敵のあいつらを倒せ！　勝って来るぞと勇ましく……。

見知らぬひとを殺すため、子どもや孫は、戦場へ……。

ああ……この道は、いつか来た道――。
あやまちを、もう、二度とくりかえしてはならない。（了）

名栗川のせせらぎ、遠く近く、鳥のさえずりを聴きながら
二〇二〇年六月二二日　船瀬俊介

船瀬俊介（ふなせ・しゅんすけ）
1950年、福岡県に生まれる。九州大学理学部入学、同大学を中退し、早稲田大学第一文学部社会学科を卒業。地球環境問題、医療・健康・建築批評などを展開。
著書に、『抗ガン剤で殺される』、『笑いの免疫学』、『メタボの暴走』、『病院に行かずに「治す」ガン療法』、『ガンになったら読む10冊の本』、『健康住宅革命』、『原発マフィア』（花伝社）、『未来を救う「波動医学」』、『世界に広がる「波動医学」』、『あぶない抗ガン剤』、『維新の悪人たち』、『肉好きは8倍心臓マヒで死ぬ』、『フライドチキンの呪い』（共栄書房）、『買ってはいけない』（金曜日）、『知ってはいけない!?』、『「長生き」したければ、食べてはいけない!?』、『ガン検診は受けてはいけない!?』（徳間書店）、『日本の真相！』（成甲書房）、『魔王、死す』、『リニア亡国論』、『牛乳のワナ』（ビジネス社）など多数。

カバー写真：アフロ（左）、iStock（右）

コロナと5G――世界を壊す新型ウイルスと次世代通信

2020年7月25日　初版第1刷発行
2021年9月1日　初版第5刷発行

著者 ―――― 船瀬俊介
発行者 ――― 平田　勝
発行 ―――― 共栄書房
〒101-0065　東京都千代田区西神田2-5-11 出版輸送ビル2F
電話　03-3234-6948
FAX　03-3239-8272
E-mail　master@kyoeishobo.net
URL　http://www.kyoeishobo.net
振替　00130-4-118277
装幀 ―――― 黒瀬章夫（ナカグログラフ）
印刷・製本 ―― 中央精版印刷株式会社

ISBN978-4-7634-1093-1　C0036